CORRIGÉ

Julie Boisvert
Kathleen Duval

Cahier de savoirs et d'activités A

CONFORME À LA PROGRESSION DES APPRENTISSAGES

PEARSON

Montréal Toronto Boston Columbus Indianapolis New York San Francisco Upper Saddle River
Amsterdam Le Cap Dubaï Londres Madrid Milan Munich Paris
Delhi México São Paulo Sydney Hong-Kong Séoul Singapour Taipei Tōkyō

Directrice à l'édition
Sophie Aubin

Chargées de projet et réviseures linguistiques
Maria Christina Jiménez
Évelyne Miljours

Correctrices d'épreuves
Carole Bellefeuille
Lucie Bernard

Coordonnateur – droits et reproductions
Pierre Richard Bernier

Directrice artistique
Hélène Cousineau

Coordonnatrice aux réalisations graphiques
Sylvie Piotte

Couverture
Isabel Lafleur

Conception graphique et édition électronique
Isabel Lafleur

Illustrateurs
Julie Cossette: p. 104, 105, 106
Frédéric Normandin: p. 53, 54, 114
PisHier: p. 73, 74

Sources des illustrations
ALAMY: p. 34 (bas), 91
Frédérick Fontaine: p. 12
Olivier Latik: p. 20, 21, 22 (haut)
SHUTTERSTOCK: autres illustrations
THINKSTOCK: p. 34 (haut), 35, 39, 41

Membre du groupe Pearson Education depuis 1989

1611, boul. Crémazie Est, 10e étage
Montréal (Québec) H2M 2P2
CANADA
Téléphone: 514 334-2690
Télécopieur: 514 334-4720
info@pearsonerpi.com
http://pearsonerpi.com

Dépôt légal – Bibliothèque et Archives nationales du Québec, 2013
Dépôt légal – Bibliothèque et Archives Canada, 2013

Imprimé au Canada
ISBN 978-2-7613-5769-2

67890 IW 19876
13232 ABCD OF10

Consultantes pédagogiques

Andrée Demers, enseignante, école Saint-Enfant-Jésus, commission scolaire de Montréal

Diane Dextrase, enseignante, école Laberge, commission scolaire des Grandes-Seigneuries

Diane Hébert, enseignante, école du Boisé, commission scolaire des Navigateurs

Hélène Lévesque, enseignante, école Sainte-Marcelline, commission scolaire des Samares

Rita Tomassini, enseignante, école Entramis, commission scolaire des Affluents

Pictogrammes

- L'élève réutilise cette connaissance
- L'élève apprend à le faire avec l'intervention de l'enseignant ou de l'enseignante
- L'élève le fait par lui-même à la fin de l'année scolaire
- Enrichissement

(L) Texte littéraire
(I) Texte informatif
Texte québécois
Question amenant l'élève à réagir au texte

Pictogrammes utilisés pour les stratégies de lecture

Faire des prédictions

Comprendre le sens des mots de relation

Comprendre les signes de ponctuation

Comprendre les mots nouveaux

Se dépanner

Lire entre les lignes

Retenir l'essentiel

Survoler le texte

Reconnaître les mots qui en remplacent d'autres

Se rappeler l'intention de lecture

Abréviations et symboles

Adj.	adjectif	m.	masculin
Dét.	déterminant	f.	féminin
V.	verbe	s.	singulier
Pron.	pronom	pl.	pluriel
GN	groupe du nom	pers.	personne

Sujet Mot ou groupe de mots ayant la fonction de sujet

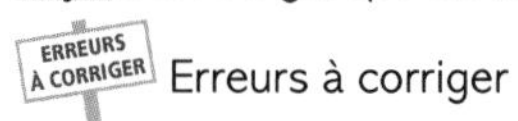

Erreurs à corriger

⊘ Emploi incorrect

Table des matières

Dossier 1

4 Les monstres

Dossier 2

5 Les pirates

6 Le cinéma

7 Bientôt Noël

Présentation des cahiers

Les cahiers *ZIG ZAG* A et B

Chaque cahier *ZIG ZAG* contient deux dossiers.
Chaque dossier aborde trois ou quatre sujets.

La page d'ouverture d'un dossier présente les sujets abordés dans ce dossier.

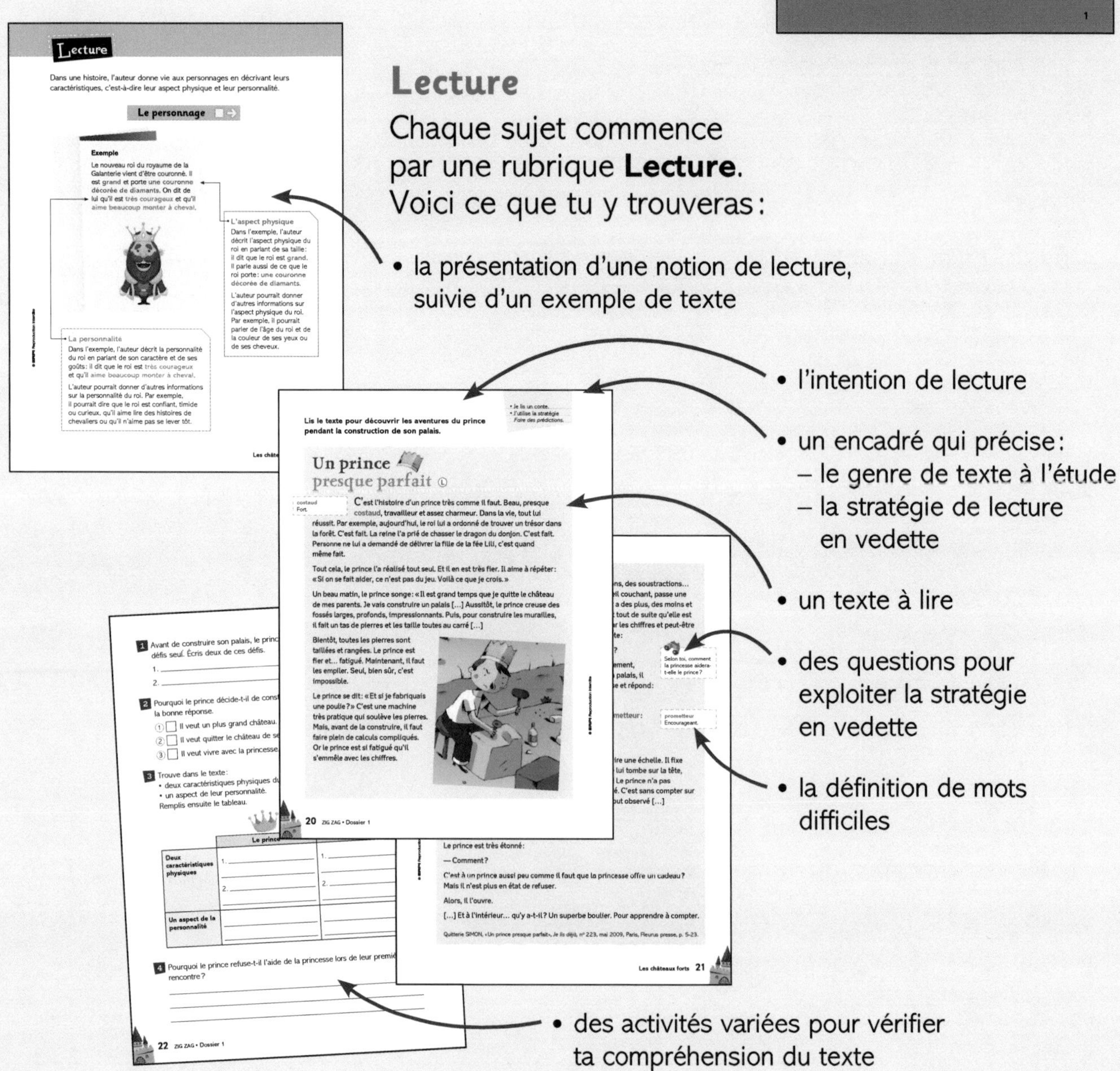

Lecture

Chaque sujet commence par une rubrique **Lecture**. Voici ce que tu y trouveras :

- la présentation d'une notion de lecture, suivie d'un exemple de texte
- l'intention de lecture
- un encadré qui précise :
  - le genre de texte à l'étude
  - la stratégie de lecture en vedette
- un texte à lire
- des questions pour exploiter la stratégie en vedette
- la définition de mots difficiles
- des activités variées pour vérifier ta compréhension du texte

Grammaire • Conjugaison • Vocabulaire

Chaque sujet contient de deux à quatre leçons. Voici ce que tu y trouveras :

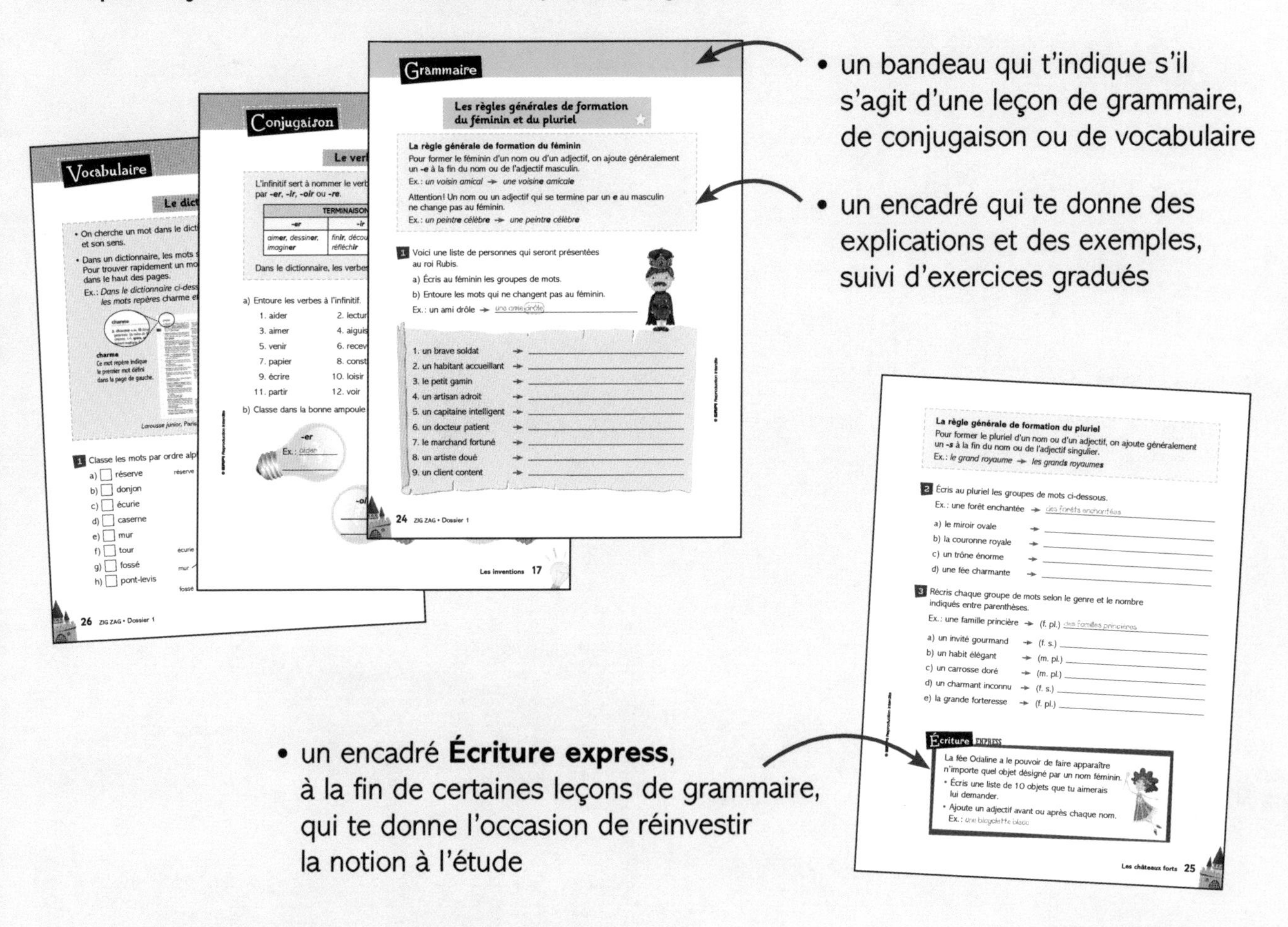

- un bandeau qui t'indique s'il s'agit d'une leçon de grammaire, de conjugaison ou de vocabulaire
- un encadré qui te donne des explications et des exemples, suivi d'exercices gradués
- un encadré **Écriture express**, à la fin de certaines leçons de grammaire, qui te donne l'occasion de réinvestir la notion à l'étude

Lecture express

Chaque sujet propose une rubrique **Lecture express**. Voici ce que tu y trouveras :

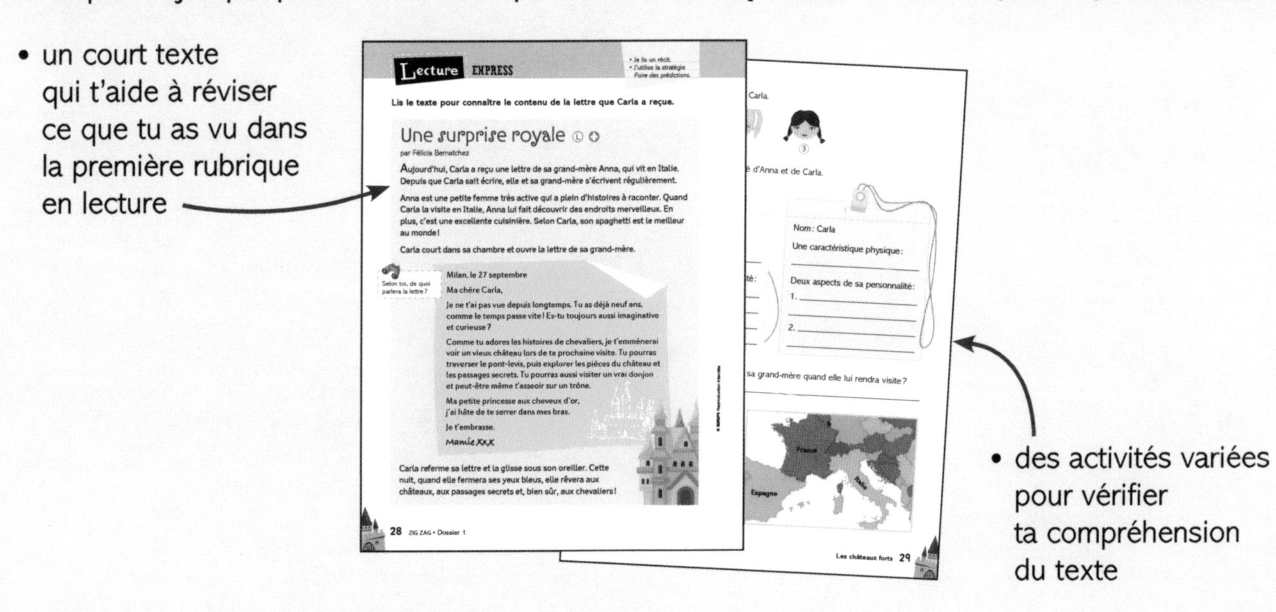

- un court texte qui t'aide à réviser ce que tu as vu dans la première rubrique en lecture
- des activités variées pour vérifier ta compréhension du texte

Écriture

Un sujet sur deux présente une rubrique **Écriture**. Voici ce que tu y trouveras :

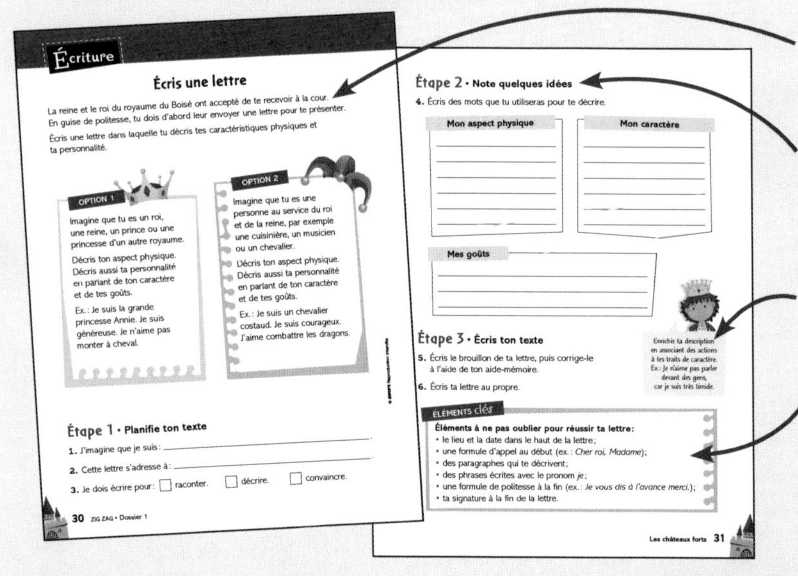
Écriture

Écris une lettre

La reine et le roi du royaume du Boisé ont accepté de te recevoir à la cour. En guise de politesse, tu dois d'abord leur envoyer une lettre pour te présenter.

Écris une lettre dans laquelle tu décris tes caractéristiques physiques et ta personnalité.

OPTION 1

Imagine que tu es un roi, une reine, un prince ou une princesse d'un autre royaume.

Décris ton aspect physique. Décris aussi ta personnalité en parlant de ton caractère et de tes goûts.

Ex. : Je suis la grande princesse Annie. Je suis généreuse. Je n'aime pas monter à cheval.

OPTION 2

Imagine que tu es une personne au service du roi et de la reine, par exemple une cuisinière, un musicien ou un chevalier.

Décris ton aspect physique. Décris aussi ta personnalité en parlant de ton caractère et de tes goûts.

Ex. : Je suis un chevalier costaud. Je suis courageux. J'aime combattre les dragons.

Étape 1 • Planifie ton texte

1. J'imagine que je suis : ______.
2. Cette lettre s'adresse à : ______.
3. Je dois écrire pour : ☐ raconter. ☐ décrire. ☐ convaincre.

30 ZIG ZAG • Dossier 1

Étape 2 • Note quelques idées

4. Écris des mots que tu utiliseras pour te décrire.

Mon aspect physique

Mon caractère

Mes goûts

Étape 3 • Écris ton texte

5. Écris le brouillon de ta lettre, puis corrige-le à l'aide de ton aide-mémoire.
6. Écris ta lettre au propre.

Enrichis ta description en associant des actions à tes traits de caractère. Ex. : Je n'aime pas parler devant des gens, car je suis très timide.

ÉLÉMENTS clés

Éléments à ne pas oublier pour réussir ta lettre :
- le lieu et la date dans le haut de la lettre ;
- une formule d'appel au début (ex. : *Cher roi, Madame*) ;
- des paragraphes qui te décrivent ;
- des phrases écrites avec le pronom *je* ;
- une formule de politesse à la fin (ex. : *Je vous dis à l'avance merci.*) ;
- ta signature à la fin de la lettre.

Les châteaux forts 31

- une courte mise en situation, suivie de deux options d'écriture
- une démarche d'écriture en trois étapes pour t'aider à écrire ton texte
- des suggestions pour enrichir tes phrases
- les éléments clés à ne pas oublier au moment d'écrire ton texte

Creuse-méninges

Chaque sujet se termine par une rubrique **Creuse-méninges**. Tu y trouveras l'un des contenus suivants :

- un méli-mélo de jeux de mots amusants, comme des rébus, des charades, des devinettes, etc.
- une énigme que les indices cachés dans le texte t'aideront à résoudre

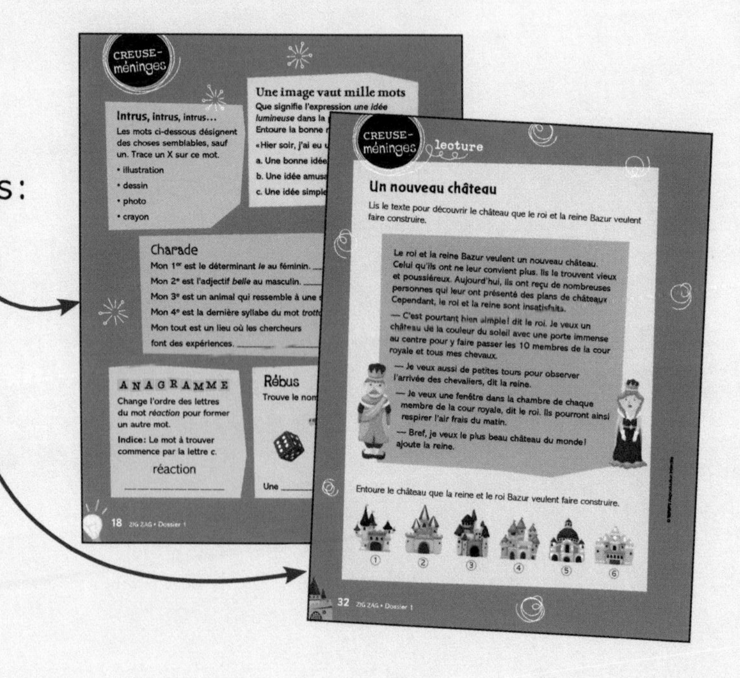
CREUSE-méninges

Intrus, intrus, intrus...

Les mots ci-dessous désignent des choses semblables, sauf un. Trace un X sur ce mot.
- illustration
- dessin
- photo
- crayon

Une image vaut mille mots

Que signifie l'expression *une idée lumineuse* dans la

Entoure la bonne

« Hier soir, j'ai eu

a. Une bonne idée

b. Une idée amus

c. Une idée simple

Charade

Mon 1er est le déterminant *le* au féminin.

Mon 2e est l'adjectif *belle* au masculin.

Mon 3e est un animal qui ressemble à une

Mon 4e est la dernière syllabe du mot *trott*

Mon tout est un lieu où les chercheurs font des expériences.

ANAGRAMME

Change l'ordre des lettres du mot *réaction* pour former un autre mot.

Indice : Le mot à trouver commence par la lettre c.

réaction

Rébus

Trouve le nom

Une ______

18 ZIG ZAG • Dossier 1

CREUSE-méninges lecture

Un nouveau château

Lis le texte pour découvrir le château que le roi et la reine Bazur veulent faire construire.

Le roi et la reine Bazur veulent un nouveau château. Celui qu'ils ont ne leur convient plus. Ils le trouvent vieux et poussiéreux. Aujourd'hui, ils ont reçu de nombreuses personnes qui leur ont présenté des plans de châteaux. Cependant, le roi et la reine sont insatisfaits.

— C'est pourtant bien simple ! dit le roi. Je veux un château de la couleur du soleil avec une porte immense au centre pour y faire passer les 10 membres de la cour royale et tous mes chevaux.

— Je veux aussi de petites tours pour observer l'arrivée des chevaliers, dit la reine.

— Je veux une fenêtre dans la chambre de chaque membre de la cour royale, dit le roi. Ils pourront ainsi respirer l'air frais du matin.

— Bref, je veux le plus beau château du monde ! ajoute la reine.

Entoure le château que la reine et le roi Bazur veulent faire construire.

① ② ③ ④ ⑤ ⑥

32 ZIG ZAG • Dossier 1

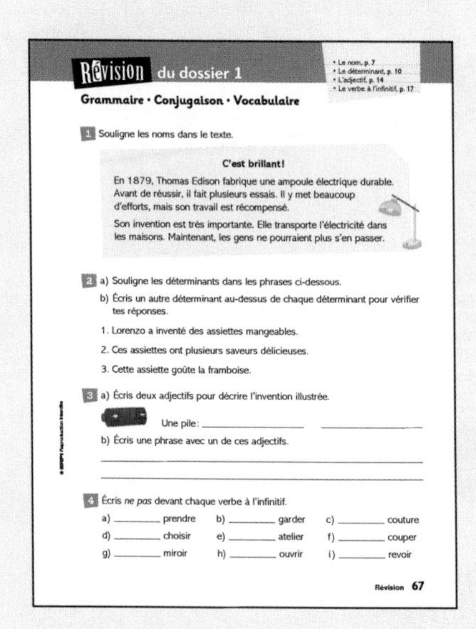
Révision du dossier 1

- Le nom, p. 7
- Le déterminant, p. 10
- L'adjectif, p. 14
- Le verbe à l'infinitif, p. 17

Grammaire • Conjugaison • Vocabulaire

1 Souligne les noms dans le texte.

C'est brillant !

En 1879, Thomas Edison fabrique une ampoule électrique durable. Avant de réussir, il fait plusieurs essais. Il y met beaucoup d'efforts, mais son travail est récompensé.

Son invention est très importante. Elle transporte l'électricité dans les maisons. Maintenant, les gens ne pourraient plus s'en passer.

2 a) Souligne les déterminants dans les phrases ci-dessous.

b) Écris un autre déterminant au-dessus de chaque déterminant pour vérifier tes réponses.

1. Lorenzo a inventé des assiettes mangeables.
2. Ces assiettes ont plusieurs saveurs délicieuses.
3. Cette assiette goûte la framboise.

3 a) Écris deux adjectifs pour décrire l'invention illustrée.

Une pile : ______ ______

b) Écris une phrase avec un de ces adjectifs.

4 Écris *ne pas* devant chaque verbe à l'infinitif.

a) ______ prendre	b) ______ garder	c) ______ couture
d) ______ choisir	e) ______ atelier	f) ______ couper
g) ______ miroir	h) ______ ouvrir	i) ______ revoir

Révision 67

Révision

À la fin de chaque dossier, une section **Révision** t'invite à réviser les connaissances acquises dans les leçons de grammaire, de conjugaison et de vocabulaire.

Dossier 1

Lecture

Dans un récit, il y a des mots qui indiquent clairement où et quand se déroule l'histoire. Le temps et le lieu d'une histoire se trouvent souvent dans les premiers paragraphes du récit.

Le temps et le lieu d'un récit 

Exemple

Ce matin, c'est **une magnifique journée d'été**. Je profite du beau temps pour aider mon père à faire le ménage **du garage**. On trouve des morceaux de bois, des boîtes de carton, de vieilles roues… Génial ! J'ai tout ce qu'il faut pour fabriquer un super bolide !

Le temps

Dans l'exemple, l'auteur indique quand se déroule l'histoire en nommant un moment de la journée et une saison : **ce matin**, **une magnifique journée d'été**.

On peut aussi nommer une date, comme *le 2 mai* ou un moment moins précis, comme *autrefois*.

Le lieu

Dans l'exemple, l'auteur indique où se déroule l'histoire en nommant un endroit : **le garage**.

On peut aussi nommer des endroits moins précis comme *une forêt lointaine.* On peut aussi inventer des endroits imaginaires comme *le pays des inventions.*

- Je lis un récit.
- J'utilise la stratégie *Se rappeler l'intention de lecture.*

Lis le texte pour découvrir les inventions de Suzie Lafrisette.

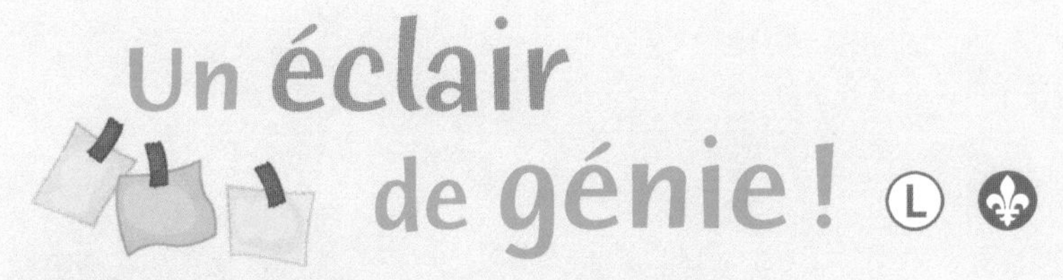

Un éclair de génie !

par Sandrine Adam

Pourquoi lis-tu ce texte ?

On m'appelle Suzie Lafrisette, car j'ai les cheveux tout en bouclettes. Je suis une fillette pleine d'imagination et j'ai toujours mille et une idées lorsqu'il est question d'inventions… sauf ce soir.

Voilà plus d'une heure que je suis assise sur mon lit à regarder par la fenêtre. Je fixe les murs de ma chambre et je me creuse le **ciboulot**. Lundi matin, à l'école, je devrai présenter trois inventions. C'est un devoir que madame Leblanc a donné à la classe. Sur le coup, je me suis dit que ce serait un vrai jeu d'enfant. C'est drôle, mais je ne suis plus aussi confiante maintenant…

ciboulot
Tête.

C'est déjà jeudi soir et je n'ai toujours pas d'idée. Il ne me reste que quatre jours ! Pourtant, j'ai réfléchi vraiment très longtemps. J'ai fait des dessins. J'ai même fait un modèle réduit. Je n'ai vraiment pas eu d'éclair de génie, alors j'ai tout jeté à la poubelle.

Oh, mais je ne me décourage pas. Je fouille dans les livres documentaires de mon grand frère. Je pose des questions à mon père et même à mon petit frère. Bon, Suzie Lafrisette, concentre-toi et arrête de jouer avec tes lunettes !

Je viens d'avoir une idée géniale ! Pourquoi ne pas m'inspirer de ma passion pour la cuisine pour créer mes inventions ? Ça y est ! Les idées viennent si vite dans ma tête que j'ai de la difficulté à tout noter.

Voici ce que je vais inventer :

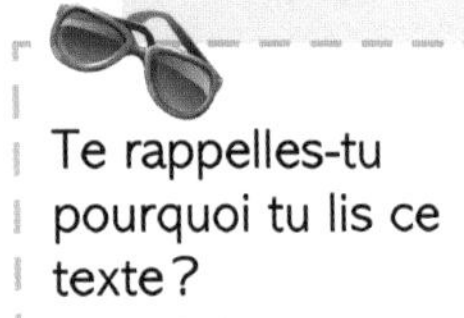

Te rappelles-tu pourquoi tu lis ce texte ?

Le biscuit anti-peur

Tu as peur du noir ou de parler devant les autres ? Mange ce biscuit très spécial et tes peurs s'envoleront comme par magie.

La spirale du rire

Il suffit de lécher cette sucette une dizaine de fois pour déclencher un fou rire. C'est pratique quand on se sent un peu triste.

Le jus-vérité

Si tu penses qu'une personne ne te dit pas la vérité, offre-lui ce jus. Après quelques gorgées, elle n'aura pas le choix de te dire toute la vérité, rien que la vérité.

La soupe de la force

Tu n'as qu'à manger cette soupe pour avoir une force incroyable. Tu pourras aider ta famille et tes amis à transporter des objets lourds.

J'ai vraiment hâte à samedi matin, car je vais parler de mes inventions à mon ami Damien. J'espère qu'il les aimera, mais avant de lui demander ce qu'il en pense, je lui donnerai un jus-vérité, hi ! hi ! hi !

1 Trace un X devant ton intention de lecture.

① ☐ T'informer sur des inventeurs.

② ☒ Découvrir les inventions du personnage de l'histoire.

③ ☐ Suivre les étapes de fabrication d'une invention.

2 Quand l'histoire se déroule-t-elle ? Entoure la bonne réponse.

① Lundi matin. ② (Jeudi soir.) ③ Samedi matin. ④ Vendredi soir.

3 a) Où l'histoire se déroule-t-elle ? Entoure la bonne image.

① À l'école. ② Dans la chambre de Suzie. ③ Dans un restaurant.

b) Dans la phrase ci-dessous, souligne le mot qui donne un indice sur le lieu de l'histoire.

> Voilà plus d'une heure que je suis assise sur mon <u>lit</u> à regarder par la fenêtre.

4 Replace les actions de Suzie dans l'ordre en numérotant les cases de 1 à 5.

a) [5] Suzie va parler de ses inventions à son ami Damien.

b) [2] Suzie cherche des idées d'inventions.

c) [3] Suzie fait des dessins de ses inventions.

d) [1] Suzie est assise sur son lit et regarde par la fenêtre.

e) [4] Suzie note ses inventions.

5 Pourquoi Suzie doit-elle trouver des inventions?

C'est un devoir que madame Leblanc a donné.

6 Dans combien de jours Suzie présentera-t-elle ses inventions à la classe? Entoure la bonne réponse.

① (4 jours.) ② 7 jours. ③ 1 jour.

7 Écris le nom des quatre inventions de Suzie Lafrisette.

1. Le biscuit anti-peur.
2. La spirale du rire.
3. Le jus-vérité.
4. La soupe de la force.

8 Quelle invention conseillerais-tu à chaque membre de la famille de Suzie? Relie chaque phrase à la bonne invention.

a) Le père de Suzie veut savoir qui lui a joué un tour.

b) Le frère de Suzie a peur d'aller au lit.

c) La mère de Suzie veut faire rire son fils.

d) Le père de Suzie veut transporter des boîtes lourdes.

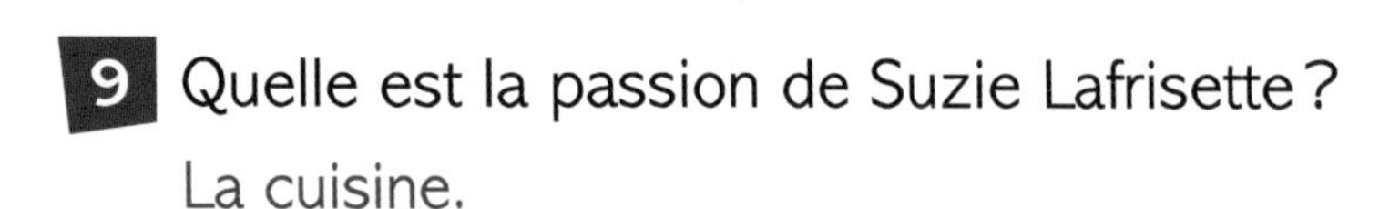

9 Quelle est la passion de Suzie Lafrisette?

La cuisine.

10 Pourquoi appelle-t-on la fillette de l'histoire Suzie Lafrisette?

Elle a les cheveux tout en bouclettes.

Le nom

Il y a deux sortes de nom : le **nom commun** et le **nom propre**.

Le nom commun

Le nom commun désigne des personnes, des animaux, des objets, des lieux, des sentiments et des actions. Il commence par une lettre minuscule. Il y a souvent un déterminant avant un nom.

Ex. : *Le* (Dét.) ***professeur*** (Nom) *cache cette* (Dét.) ***invention*** (Nom) *dans son* (Dét.) ***laboratoire*** (Nom).

Le nom propre

Le nom propre désigne des personnes, des personnages, des animaux et des lieux. Il commence par une lettre majuscule.

Ex. : ***Victor*** *se promène avec* ***Fido*** *dans un parc de* ***Montréal****.*

1 Écris 10 noms communs qui décrivent l'image. Ajoute avant chaque nom un des déterminants suivants : *un, une, des, le, la, les.*

Ex. : des écouteurs

Exemples de réponses :

une fille

un garçon

une casquette

la lecture

un cellulaire

la musique

des espadrilles

une tablette numérique

un appareil photo

une rue

2 a) Souligne les noms communs dans les devinettes.

b) Trace une flèche qui va de chaque nom au déterminant qui l'accompagne.

Ex.: J'ai vingt-six lettres.

Je permets d'écrire des mots.

Je rends plus facile la communication écrite.

Qui suis-je? L'alphabet.

J'ai une forme ronde.

Je tourne autour d'un point fixe.

J'ai permis aux transports de se développer.

Qui suis-je? La roue.

Si tu peux ajouter un adjectif avant ou après un mot, ce mot est un nom.
Ex.: la lampe → la **petite** lampe
→ la lampe **bleue**

c) Trouve la réponse à chaque devinette parmi les choix ci-dessous.

le papier • la vis • la roue • l'alphabet

3 Souligne les noms communs et entoure les noms propres dans le texte.

Le premier ordinateur personnel

Ex.: Steve Jobs et son ami Stephen Wozniak avaient une passion pour l'électronique. Un jour, ils ont une idée folle: ils décident de créer un ordinateur personnel. Ils achètent le matériel nécessaire avec leur argent durement gagné. Ils s'installent dans le garage de la famille Jobs pour travailler. Ainsi, le premier ordinateur personnel est créé en 1976 en Californie. Depuis, les informaticiens continuent d'améliorer cette machine.

Le genre et le nombre du nom

- Le nom a un genre : il est masculin (m.) ou féminin (f.).
  Ex. : *un savant* (m.), *une machine* (f.)
- Le nom a un nombre : il est singulier (s.) ou pluriel (pl.).
  Ex. : *le laboratoire* (s.), *des inventions* (pl.)

4 Écris le genre (m. ou f.) et le nombre (s. ou pl.) de chaque nom en gras.

Ex. : Plusieurs **objets** (m. pl.) te facilitent la **vie** (f. s.) chaque **jour** (m. s.).

a) Le **matin** (m. s.), tu utilises un **savon** (m. s.), une **brosse** (f. s.) à **dents** (f. pl.) et du **dentifrice** (m. s.).

b) Avant d'aller à l'**école** (f. s.), tu ranges tes **livres** (m. pl.) dans ton **sac** (m. s.) à **dos** (m. s).

c) Pour prendre tes **repas** (m. pl.), tu t'assois à une **table** (f. s).

d) Le **soir** (m. s.), tu joues parfois à des **jeux** (m. pl.) sur l'**ordinateur** (m. s).

e) Tu dors dans un **lit** (m. s.) confortable avec un **oreiller** (m. s.).

f) Le **réveille-matin** (m. s.) sonne pour t'indiquer de te lever.

Si tu peux ajouter *un* avant un nom, il est masculin. Si tu peux ajouter *une*, il est féminin.

5 Écris *un* ou *une* devant chaque nom.

a) un objet

b) une règle

c) une armoire

d) une gomme à effacer

e) une idée

f) un cahier

Écriture EXPRESS

Observe le monde autour de toi.

- Écris la liste des 10 inventions qui te sont les plus utiles dans ta vie quotidienne.
- Souligne les noms dans ta liste.
  Ex. : le téléphone

► Révision, p. 67, nº 1.

Le déterminant

- Le **déterminant** est placé avant le nom. Parfois, il y a un adjectif entre le déterminant et le nom.

  Ex. : *Nami fabrique **une** (Dét.) nouvelle (Adj.) machine (Nom).*

- Le déterminant peut être formé d'un ou de plusieurs mots.

Un mot	Plusieurs mots
le, la, les, un, une, des, au, aux, du, ton, sa, mes, nos, votre, leur, ce, ces, deux, plusieurs, etc.	*beaucoup de, peu de, la plupart de, tous les,* etc.

- Le déterminant reçoit le genre (masculin ou féminin) et le nombre (singulier ou pluriel) du nom qu'il accompagne.

  Ex. : *Depuis **des** (Dét., f. pl.) heures (Nom, f. pl.), Rida bricole dans **son** (Dét., m. s.) atelier (Nom, m. s.).*

1 Dans les phrases ci-dessous, les déterminants en gras accompagnent des noms. Souligne ces noms.

Les étapes pour créer son invention

1. Penser à **plusieurs** idées.
2. Choisir **sa** meilleure idée.
3. Dessiner **un** plan précis.
4. Produire **son** premier modèle.
5. Vérifier **le** fonctionnement **du** modèle en faisant **beaucoup d'**essais.
6. Apporter **toutes les** modifications nécessaires.

2 Souligne 12 déterminants dans les phrases ci-dessous.

Si tu peux remplacer un mot par *un*, *une* ou *des*, ce mot est un déterminant.
Ex.: plusieurs dessins → **des** dessins

a) Léo et Zia travaillent à un grand projet.

b) Ils construisent une bicyclette qui fonctionnera à l'énergie solaire.

c) Depuis ce matin, ils font du bruit dans le garage.

d) Ils attirent l'attention de quelques voisins curieux.

e) Léo et sa sœur assemblent plusieurs pièces.

f) Ces enfants sont déjà deux petits génies.

3 a) Écris le genre (m. ou f.) et le nombre (s. ou pl.) de chaque nom en gras.

b) Trace une flèche qui va de chaque nom au déterminant qui l'accompagne.

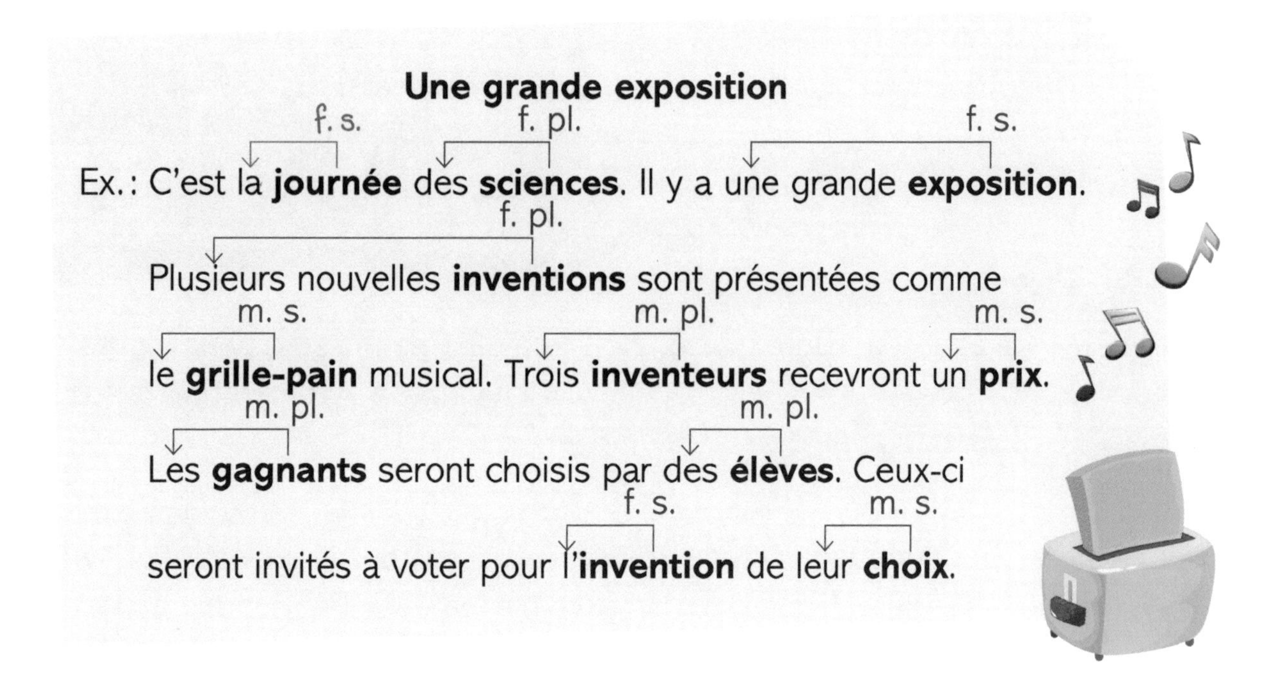

Une grande exposition

Ex.: C'est la **journée** (f. s.) des **sciences** (f. pl.). Il y a une grande **exposition** (f. s.). Plusieurs nouvelles **inventions** (f. pl.) sont présentées comme le **grille-pain** (m. s.) musical. Trois **inventeurs** (m. pl.) recevront un **prix** (m. s.). Les **gagnants** (m. pl.) seront choisis par des **élèves** (m. pl.). Ceux-ci seront invités à voter pour l'**invention** (f. s.) de leur **choix** (m. s.).

c) Classe dans le tableau les déterminants qui accompagnent les noms en gras.

Masculin singulier	Masculin pluriel	Féminin singulier	Féminin pluriel
le	Trois	Ex.: la	des
un	Les	une	Plusieurs
leur	des	l'	

► Révision, p. 67, nº 2.

- Je lis un récit.
- J'utilise la stratégie *Se rappeler l'intention de lecture.*

Lis le texte pour découvrir l'invention du père de Mathis.

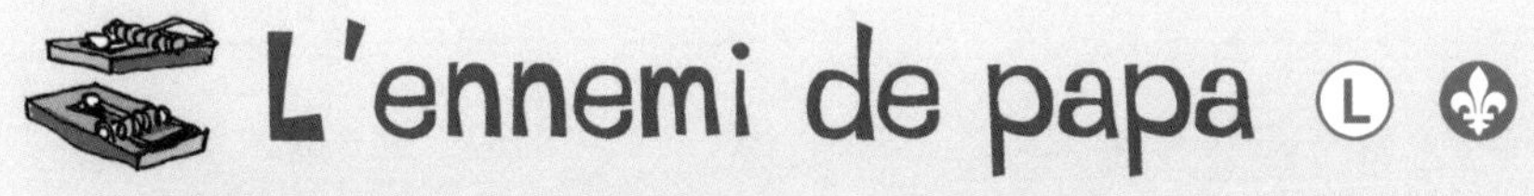

L'ennemi de papa

Le père de Mathis essaie d'empêcher un raton laveur de fouiller dans la poubelle. Il ne sait plus quoi inventer pour se débarrasser de l'animal.

Le soir venu, c'est plus de deux heures que mon père a passé dans son atelier. De la maison, j'entendais les coups de marteau et le bruit de la scie ronde.

J'étais un peu triste pour le raton mais je n'ai pas osé l'avouer. Pendant la nuit, le raton laveur a réussi à contourner le piège pour grignoter les restes de pâté au poulet du souper. En se réveillant le matin, papa était vraiment surpris et aussi très furieux!

Cet étrange petit jeu a duré plus d'une semaine. Chaque soir, papa ajoutait de nouveaux pièges autour de la poubelle. Chaque matin, il remarquait que la bête masquée était parvenue à tous les déjouer!

souricière
Piège à souris.

Te rappelles-tu pourquoi tu lis ce texte?

Cette nuit, le raton devra sauter par-dessus des **souricières** géantes sans rester coincé, éviter un bouton qui actionne une lumière dans la chambre de mes parents, monter une pente pleine de graisse glissante, traverser le tunnel sans que la porte se referme, ouvrir la trappe de la boîte, pousser la roche sur le dessus de la poubelle et finalement retirer le couvercle.

Demain matin, une surprise attendra papa: la bête aura une fois de plus attaqué les déchets. Est-ce que je devrais lui dire que j'ai fait un trou derrière la boîte pour laisser entrer facilement mon ami le raton? Non... J'ai trop hâte de voir ce que papa inventera cette fois-ci!

1 Trace un X devant l'endroit où le piège est construit.

① ☐ La chambre des parents de Mathis.

② ☒ L'atelier du père de Mathis.

③ ☐ La cour.

④ ☐ La chambre de Mathis.

2 Indique si les événements ci-dessous se déroulent le jour ou le soir.
Trace un X dans la bonne case.

	Jour	Soir
a) Le père de Mathis construit un piège avec sa scie et son marteau.		X
b) Une surprise attend le père de Mathis.	X	
c) Le père de Mathis se réveille et voit les dégâts.	X	
d) Le père de Mathis ajoute de nouveaux pièges.		X

3 Écris l'événement qui se déroule la nuit.

Exemple de réponse : Le raton laveur réussit à contourner le piège et à manger les déchets.

4 Est-ce que la dernière invention du père de Mathis fonctionne ?
Explique ta réponse à l'aide du texte.

Exemple de réponse : Non, elle ne fonctionne pas parce que Mathis fait un trou derrière la boîte pour laisser entrer le raton laveur.

5 Dans le texte, une expression désigne le raton laveur.
Quelle est cette expression ?

la b<u>ê t e</u> m<u>a s q u é e</u>

L'adjectif

- L'**adjectif** dit comment est une personne, un animal ou une chose. Il est placé avant ou après le nom.

  Ex. : *Elle a besoin d'une* ***petite*** (Adj.) *ampoule* (Nom) ***électrique*** (Adj.).

- L'adjectif reçoit le genre (masculin ou féminin) et le nombre (singulier ou pluriel) du nom qu'il accompagne.

  Ex. : *Un jour, il sera un* ***grand*** (Adj., m. s.) *inventeur* (Nom, m. s.).

1 Complète les adjectifs qui accompagnent les noms en écrivant ***a***, ***e***, ***é***, ***è***, ***i***, ***o*** ou ***u***.

Ex. : la pr_e_m_i_ _è_r_e_ automobile

a) la pile _é_l_e_ctr_i_qu_e_

b) l'appareil ph_o_t_o_gr_a_ph_i_qu_e_

c) la carte p_o_st_a_l_e_

d) le ruban _a_dh_é_s_i_f

e) la fusée sp_a_t_i_ _a_l_e_

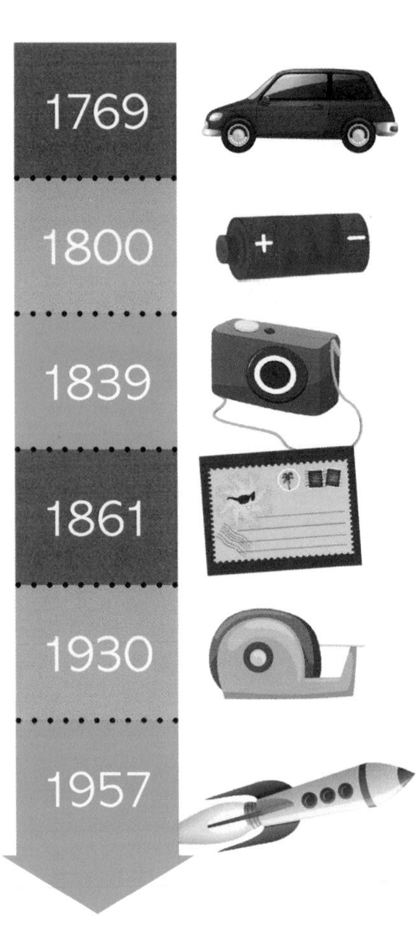

2 Souligne les adjectifs dans les phrases ci-dessous.

a) Marie cherche un remède contre une maladie grave.

b) Elle essaie de découvrir un vaccin efficace contre un virus.

c) La jeune fille travaille dans un hôpital.

d) Marie est une chercheuse brillante.

e) Jérôme l'aide à faire d'importantes recherches.

f) Marie et Jérôme obtiennent des résultats satisfaisants.

g) Ils espèrent guérir plusieurs personnes malades.

Si tu peux ajouter *très* avant un mot, ce mot est un adjectif.
Ex.: une bonne idée
→ une **très** bonne idée

3 Remplace chaque adjectif en gras par un adjectif de ton choix. L'adjectif peut être avant ou après le nom. Exemples de réponses:

Ex.: un **puissant** ordinateur → un nouvel ordinateur

a) une découverte **étonnante** → une découverte surprenante

b) une **bonne** idée → une excellente idée

c) un outil **pratique** → un outil efficace

d) une explication **claire** → une explication simple

e) un **excellent** conseil → un bon conseil

f) une expérience **scientifique** → une expérience amusante

4 Écris cinq adjectifs pour décrire l'engin ci-dessous. Exemples de réponses:

Ex.: formidable

1. rapide
2. motorisé
3. utile
4. miniature
5. jaune

5 a) Écris le genre (m. ou f.) et le nombre (s. ou pl.) de chaque nom en gras.

b) Trace une flèche qui va de chaque nom en gras à l'adjectif qui l'accompagne.

Le professeur Dingo

m. s.

Ex. : Le professeur Dingo est un **savant** farfelu.

f. pl.

Il porte des **lunettes** rondes sur le bout du nez. Il ne porte

f. s.

pas de **blouse** blanche comme ses compagnons de travail.

f. s. m. pl.

Il préfère porter sa jolie **blouse** avec d'énormes **carrés** rouges.

m. s. f. pl.

Ce **professeur** original a toujours de bonnes **idées**. Les gens

m. pl.

n'apprécient pas tous les curieux **objets** du professeur.

c) Classe dans le tableau les adjectifs qui accompagnent les noms en gras.

Masculin singulier	Masculin pluriel	Féminin singulier	Féminin pluriel
Ex. : farfelu	énormes	blanche	rondes
original	rouges	jolie	bonnes
	curieux		

Écriture EXPRESS

Le professeur Dingo a inventé cette lampe volante. Elle est utile surtout le soir, car elle permet de voir où l'on met les pieds.

- Écris cinq phrases pour décrire cette lampe.
- Utilise au moins un adjectif dans chaque phrase.
- Souligne les adjectifs dans tes phrases.

► Révision, p. 67, nº 3.

Le verbe à l'infinitif →

L'infinitif sert à nommer le verbe. Le verbe à l'infinitif se termine toujours par ***-er***, ***-ir***, ***-oir*** ou ***-re***.

TERMINAISONS DES VERBES À L'INFINITIF			
-er	**-ir**	**-oir**	**-re**
*aim**er**, dessin**er**, imagin**er***	*fin**ir**, découvr**ir**, réfléch**ir***	*pouv**oir**, sav**oir**, voul**oir***	*di**re**, fai**re**, mett**re***

Dans le dictionnaire, les verbes sont écrits à l'infinitif.

a) Entoure les verbes à l'infinitif.

1. aider
2. lecture
3. aimer
4. aiguisoir
5. venir
6. recevoir
7. papier
8. construire
9. écrire
10. loisir
11. partir
12. voir

Si tu peux ajouter *ne pas* avant un mot, ce mot est un verbe à l'infinitif.
Ex.: aimer → **ne pas** aimer

b) Classe dans la bonne ampoule chaque verbe que tu as entouré.

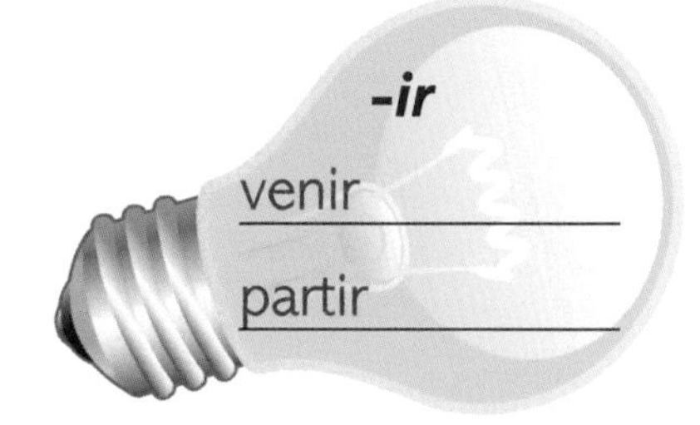

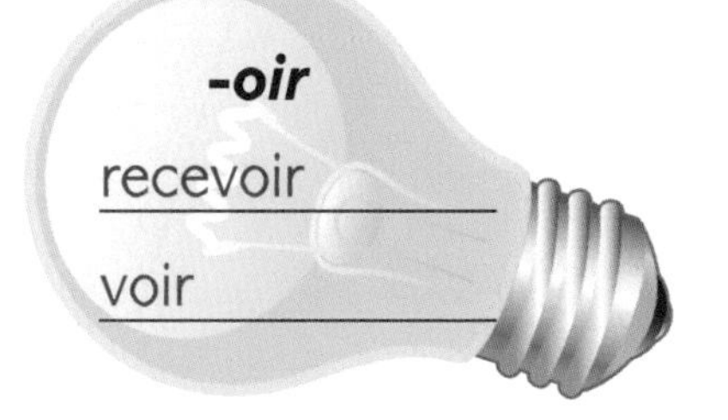

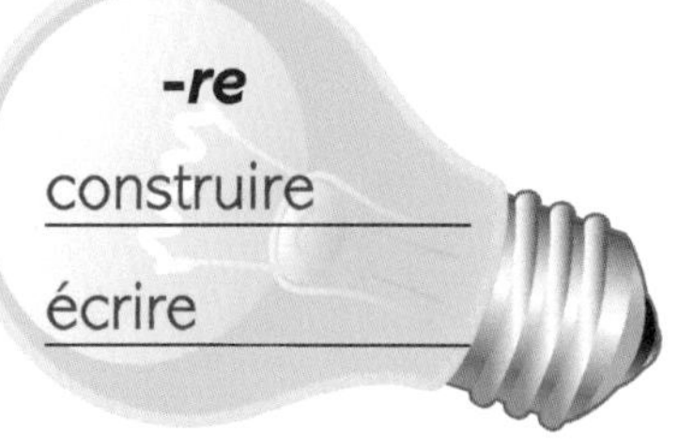

► Révision, p. 67, nº 4.

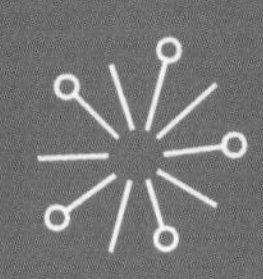

Intrus, intrus, intrus...

Les mots ci-dessous désignent des choses semblables, sauf un. Trace un X sur ce mot.

- illustration
- dessin
- photo
- crayon

Une image vaut mille mots

Que signifie l'expression *une idée lumineuse* dans la phrase ci-dessous ? Entoure la bonne réponse.

« Hier soir, j'ai eu **une idée lumineuse.** »

a. Une bonne idée.

b. Une idée amusante.

c. Une idée simple.

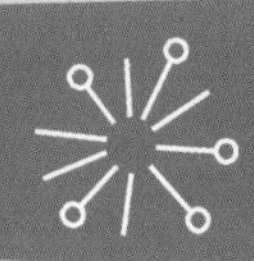

Charade

Mon 1er est le déterminant *le* au féminin. la

Mon 2e est l'adjectif *belle* au masculin. beau

Mon 3e est un animal qui ressemble à une souris. rat

Mon 4e est la dernière syllabe du mot *trottoir*. toir

Mon tout est un lieu où les chercheurs font des expériences. laboratoire

ANAGRAMME

Change l'ordre des lettres du mot *réaction* pour former un autre mot.

Indice : Le mot à trouver commence par la lettre **c**.

réaction

c r é a t i o n

Rébus

Trouve le nom illustré par les images.

Une découverte.

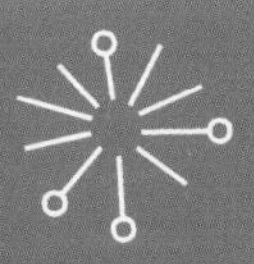

Lecture

Dans une histoire, l'auteur donne vie aux personnages en décrivant leurs caractéristiques, c'est-à-dire leur aspect physique et leur personnalité.

Le personnage 

Exemple

Le nouveau roi du royaume de la Galanterie vient d'être couronné. Il est **grand** et porte **une couronne décorée de diamants**. On dit de lui qu'il est **très courageux** et qu'il **aime beaucoup monter à cheval**.

L'aspect physique

Dans l'exemple, l'auteur décrit l'aspect physique du roi en parlant de sa taille : il dit que le roi est **grand**. Il parle aussi de ce que le roi porte : **une couronne décorée de diamants**.

L'auteur pourrait donner d'autres informations sur l'aspect physique du roi. Par exemple, il pourrait parler de l'âge du roi et de la couleur de ses yeux ou de ses cheveux.

La personnalité

Dans l'exemple, l'auteur décrit la personnalité du roi en parlant de son caractère et de ses goûts : il dit que le roi est **très courageux** et qu'il **aime beaucoup monter à cheval**.

L'auteur pourrait donner d'autres informations sur la personnalité du roi. Par exemple, il pourrait dire que le roi est confiant, timide ou curieux, qu'il aime lire des histoires de chevaliers ou qu'il n'aime pas se lever tôt.

- Je lis un conte.
- J'utilise la stratégie *Faire des prédictions.*

Lis le texte pour découvrir les aventures du prince pendant la construction de son palais.

Un prince presque parfait Ⓛ

costaud
Fort.

C'est l'histoire d'un prince très comme il faut. Beau, presque **costaud**, travailleur et assez charmeur. Dans la vie, tout lui réussit. Par exemple, aujourd'hui, le roi lui a ordonné de trouver un trésor dans la forêt. C'est fait. La reine l'a prié de chasser le dragon du donjon. C'est fait. Personne ne lui a demandé de délivrer la fille de la fée Lili, c'est quand même fait.

Tout cela, le prince l'a réalisé tout seul. Et il en est très fier. Il aime à répéter: «Si on se fait aider, ce n'est pas du jeu. Voilà ce que je crois.»

Un beau matin, le prince songe: «Il est grand temps que je quitte le château de mes parents. Je vais construire un palais [...] Aussitôt, le prince creuse des fossés larges, profonds, impressionnants. Puis, pour construire les murailles, il fait un tas de pierres et les taille toutes au carré [...]

Bientôt, toutes les pierres sont taillées et rangées. Le prince est fier et... fatigué. Maintenant, il faut les empiler. Seul, bien sûr, c'est impossible.

Le prince se dit: «Et si je fabriquais une poulie?» C'est une machine très pratique qui soulève les pierres. Mais, avant de la construire, il faut faire plein de calculs compliqués. Or le prince est si fatigué qu'il s'emmêle avec les chiffres.

Tout l'après-midi, il fait des additions, des soustractions... sans succès! Soudain, dans le soleil couchant, passe une princesse. Sur sa couronne, il y a des plus, des moins et des «multipliés». Bref, on voit tout de suite qu'elle est très forte en maths. Attirée par les chiffres et peut-être aussi par le prince, elle s'arrête:

— Bonjour. Puis-je vous aider?

Selon toi, comment la princesse aidera-t-elle le prince?

Le prince est très tenté. Malheureusement, c'est contraire à ses principes. Son palais, il doit le mériter! Il salue la princesse et répond:

— Non merci!

Mais il ajoute avec un sourire **prometteur**:

prometteur Encourageant.

— Dès que j'aurai terminé, je vous inviterai.

La princesse repart, déçue.

Le prince laisse la poulie de côté. Il décide de construire une échelle. Il fixe les barreaux... mais l'échelle ne tient pas debout. Elle lui tombe sur la tête, l'égratigne, puis lui écrase les pieds. C'EN EST TROP! Le prince n'a pas l'habitude de rater. Il se met à pleurer. Il est désespéré. C'est sans compter sur la princesse, celle aux jolies lunettes. Cachée, elle a tout observé [...]

Alors, la princesse lui tend un paquet:

— C'est un cadeau.

Le prince est très étonné:

— Comment?

C'est à un prince aussi peu comme il faut que la princesse offre un cadeau? Mais il n'est plus en état de refuser.

Alors, il l'ouvre.

[...] Et à l'intérieur... qu'y a-t-il? Un superbe boulier. Pour apprendre à compter.

Quitterie SIMON, «Un prince presque parfait», *Je lis déjà,* n° 223, mai 2009, Paris, Fleurus presse, p. 5-23.

1 Avant de construire son palais, le prince relève plusieurs défis seul. Écris deux de ces défis. Exemples de réponses :

1. Il a trouvé un trésor. Il a chassé un dragon.
2. Il a délivré la fille de la fée.

2 Pourquoi le prince décide-t-il de construire un palais ? Trace un X devant la bonne réponse.

① ☐ Il veut un plus grand château.
② ☒ Il veut quitter le château de ses parents.
③ ☐ Il veut vivre avec la princesse.

3 Trouve dans le texte :

- deux caractéristiques physiques du prince et de la princesse ;
- un aspect de leur personnalité.

Remplis ensuite le tableau.

Exemples de réponses :

	Le prince	La princesse
Deux caractéristiques physiques	1. Beau. Presque costaud. 2. Sourire prometteur.	1. Couronne avec des signes mathématiques. 2. Jolies lunettes.
Un aspect de la personnalité	Très comme il faut. Fier. Travailleur. Assez charmeur.	Très forte en maths.

4 Pourquoi le prince refuse-t-il l'aide de la princesse lors de leur première rencontre ?

C'était contraire à ses principes. Il voulait construire le château seul.

5 Pourquoi le prince pleure-t-il ? Entoure la bonne réponse.

1. Il se blesse.
2. Il n'aime pas le cadeau de la princesse.
3. (Il n'a pas l'habitude de rater quelque chose.)

6 a) À quel moment de la journée le prince commence-t-il la construction de son palais ? Entoure la bonne réponse.

①	②	③	④
(Le matin.)	L'avant-midi.	L'après-midi.	Le soir.

b) À quel moment de la journée le prince fait-il des additions ? Entoure la bonne réponse.

①	②	③	④
Le matin.	L'avant-midi.	(L'après-midi.)	Le soir.

7 a) Rappelle-toi la prédiction que tu as faite à la page 21. Était-elle juste ? Trace un X dans la bonne case. Réponse personnelle.

- ☐ Ma prédiction était juste.
- ☐ Ma prédiction n'était pas juste.

b) Si ta prédiction n'était pas juste, explique ta réponse.

Exemple de réponse : Je croyais que la princesse allait aider le prince à construire la poulie, mais ce n'est pas ce qui est arrivé.

8 As-tu aimé ce conte ? Explique ta réponse.

Exemples de réponse : Oui, l'histoire se termine bien, la princesse aide le prince. Non, je n'aime pas les histoires de princes et de princesses.

Les règles générales de formation du féminin et du pluriel

La règle générale de formation du féminin

Pour former le féminin d'un nom ou d'un adjectif, on ajoute généralement un **-e** à la fin du nom ou de l'adjectif masculin.

Ex. : *un voisin amical* → *une voisin**e** amical**e***

Attention ! Un nom ou un adjectif qui se termine par un **e** au masculin ne change pas au féminin.

Ex. : *un peintr**e** célèbr**e*** → *une peintr**e** célèbr**e***

1 Voici une liste de personnes qui seront présentées au roi Rubis.

a) Écris au féminin les groupes de mots.

b) Entoure les mots qui ne changent pas au féminin.

Ex. : un ami drôle → une amie (drôle)

1. un brave soldat → une (brave) soldate
2. un habitant accueillant → une habitante accueillante
3. le petit gamin (kid) → la petite gamine
4. un artisan adroit → une artisane adroite
5. un capitaine intelligent → une (capitaine) intelligente
6. un docteur patient → une docteure patiente
7. le marchand (merchant) fortuné → la marchande fortunée
8. un artiste doué (gifted) → une (artiste) douée
9. un client content → une cliente contente

La règle générale de formation du pluriel

Pour former le pluriel d'un nom ou d'un adjectif, on ajoute généralement un **-s** à la fin du nom ou de l'adjectif singulier.

Ex. : *le grand royaume* → *les grand**s** royaume**s***

2 Écris au pluriel les groupes de mots ci-dessous.

Ex. : une forêt enchantée → des forêts enchantées

a) le miroir ovale → les miroirs ovales

b) la couronne royale → les couronnes royales

c) un trône énorme → des trônes énormes

d) une fée charmante → des fées charmantes

3 Récris chaque groupe de mots selon le genre et le nombre indiqués entre parenthèses.

Ex. : une famille princière → (f. pl.) des familles princières

a) un invité gourmand → (f. s.) une invitée gourmande

b) un habit élégant → (m. pl.) des habits élégants

c) un carrosse doré → (m. pl.) des carrosses dorés

d) un charmant inconnu → (f. s.) une charmante inconnue

e) la grande forteresse → (f. pl.) les grandes forteresses

Écriture EXPRESS

La fée Odaline a le pouvoir de faire apparaître n'importe quel objet désigné par un nom féminin.

- Écris une liste de 10 objets que tu aimerais lui demander.
- Ajoute un adjectif avant ou après chaque nom.
  Ex. : une bicyclette bleue

► Révision, p. 68, nos 5 et 6.

Vocabulaire

Le dictionnaire 

- On cherche un mot dans le dictionnaire pour connaître son orthographe et son sens.
- Dans un dictionnaire, les mots sont classés par ordre alphabétique. Pour trouver rapidement un mot, il faut lire les mots repères écrits dans le haut des pages.

  Ex.: *Dans le dictionnaire ci-dessous, le mot* château *se trouve entre les mots repères* charme *et* chatouillement.

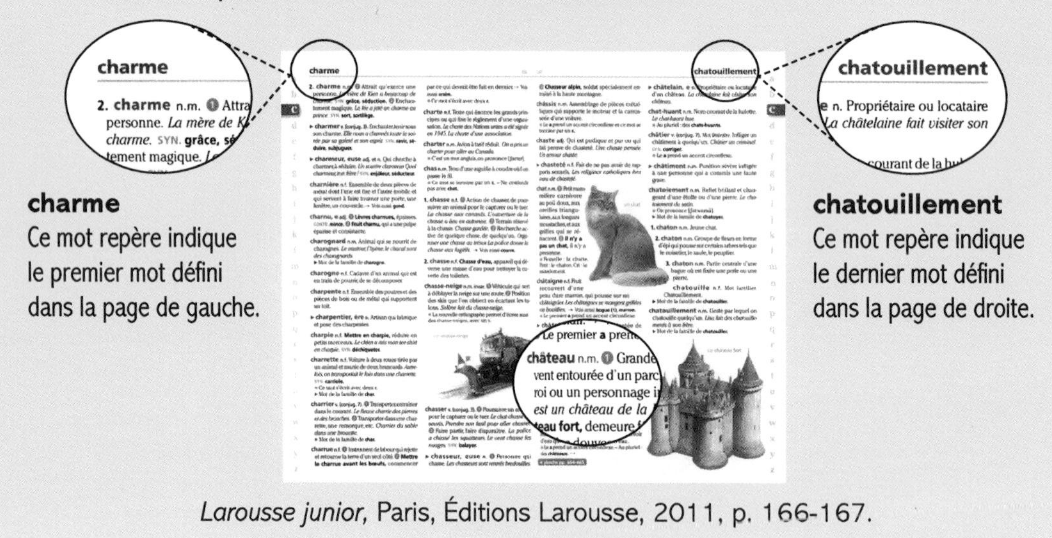

Larousse junior, Paris, Éditions Larousse, 2011, p. 166-167.

1 Classe les mots par ordre alphabétique en les numérotant de 1 à 8.

a) 7 réserve

b) 2 donjon

c) 3 écurie

d) 1 caserne

e) 5 mur

f) 8 tour

g) 4 fossé

h) 6 pont-levis

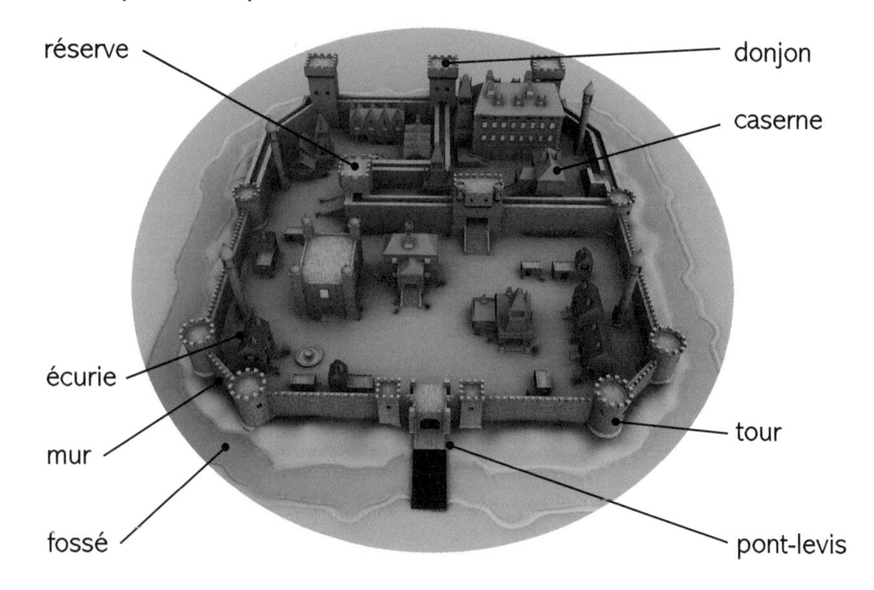

2 Écris les mots par ordre alphabétique. Entoure la deuxième lettre de chaque mot pour t'aider.

cour • casque • château • creuser • ciel • clé

1. casque
2. château
3. ciel
4. clé
5. cour
6. creuser

3 Cherche chaque mot ci-dessous dans le dictionnaire. Une fois que tu l'as trouvé, écris le mot repère de la page de gauche et celui de la page de droite. Réponses en fonction du dictionnaire utilisé.

Mot repère de la page de gauche	Mots à chercher dans le dictionnaire	Mot repère de la page de droite
	cheval	
	majesté	
	pierre	
	tourelle	

4 Les mots ci-dessous désignent des parties d'un château. Cherche ces mots dans le dictionnaire, puis relie chaque mot à sa définition.

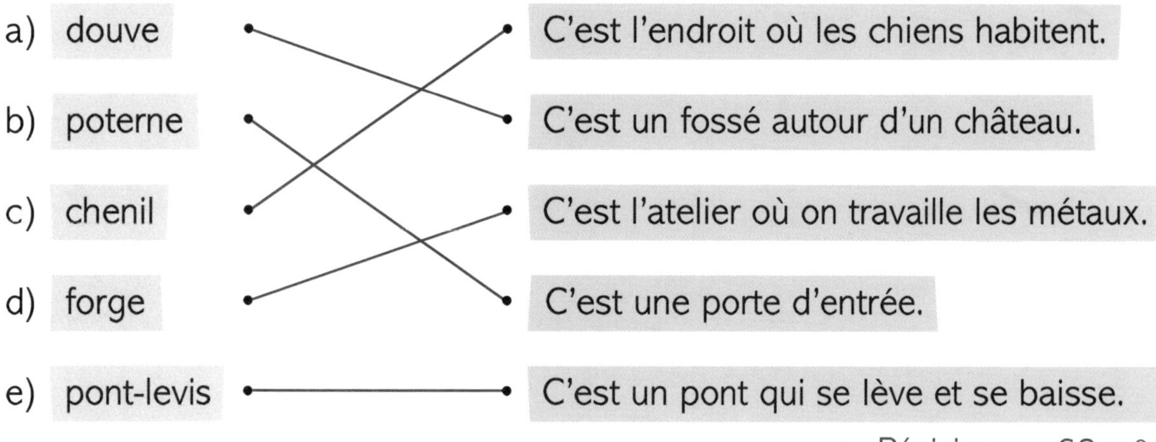

► Révision, p. 68, nº 7.

Lecture EXPRESS

- Je lis un récit.
- J'utilise la stratégie *Faire des prédictions.*

Lis le texte pour connaître le contenu de la lettre que Carla a reçue.

Une surprise royale

par Félicia Bernatchez

Aujourd'hui, Carla a reçu une lettre de sa grand-mère Anna, qui vit en Italie. Depuis que Carla sait écrire, elle et sa grand-mère s'écrivent régulièrement.

Anna est une petite femme très active qui a plein d'histoires à raconter. Quand Carla la visite en Italie, Anna lui fait découvrir des endroits merveilleux. En plus, c'est une excellente cuisinière. Selon Carla, son spaghetti est le meilleur au monde !

Carla court dans sa chambre et ouvre la lettre de sa grand-mère.

Selon toi, de quoi parlera la lettre ?

Milan, le 27 septembre

Ma chère Carla,

Je ne t'ai pas vue depuis longtemps. Tu as déjà neuf ans, comme le temps passe vite ! Es-tu toujours aussi imaginative et curieuse ?

Comme tu adores les histoires de chevaliers, je t'emmènerai voir un vieux château lors de ta prochaine visite. Tu pourras traverser le pont-levis, puis explorer les pièces du château et les passages secrets. Tu pourras aussi visiter un vrai donjon et peut-être même t'asseoir sur un trône.

Ma petite princesse aux cheveux d'or, j'ai hâte de te serrer dans mes bras.

Je t'embrasse.

Mamie XXX

Carla referme sa lettre et la glisse sous son oreiller. Cette nuit, quand elle fermera ses yeux bleus, elle rêvera aux châteaux, aux passages secrets et, bien sûr, aux chevaliers !

1 Entoure le personnage de Carla.

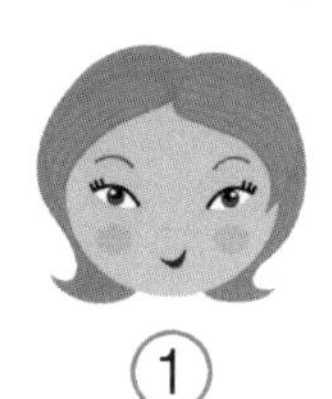

① ② ③

2 Remplis les cartes d'identité d'Anna et de Carla.

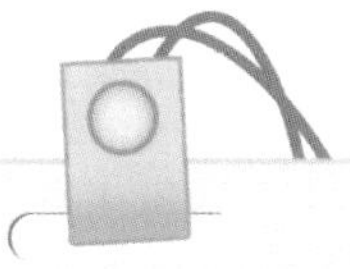

Nom : Anna

Une caractéristique physique :

Petite.

Deux aspects de sa personnalité :

1. Exemples de réponses : Très active, a plein d'histoires à raconter,

2. excellente cuisinière.

Nom : Carla

Une caractéristique physique :

Exemples de réponse : Neuf ans, cheveux d'or, yeux bleus.

Deux aspects de sa personnalité :

1. Exemples de réponses : Imaginative, curieuse,

2. adore les histoires de chevaliers.

3 Qu'est-ce que Carla fera avec sa grand-mère quand elle lui rendra visite ?

Elle visitera un vieux château.

4 Dans quel pays se trouve la ville de Milan ?
Entoure le pays sur la carte.

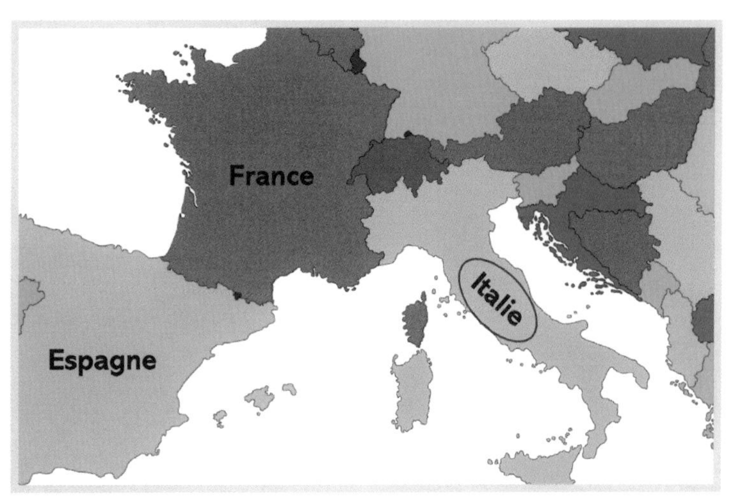

Écris une lettre

La reine et le roi du royaume du Boisé ont accepté de te recevoir à la cour. En guise de politesse, tu dois d'abord leur envoyer une lettre pour te présenter.

Écris une lettre dans laquelle tu décris tes caractéristiques physiques et ta personnalité.

OPTION 1

Imagine que tu es un roi, une reine, un prince ou une princesse d'un autre royaume.

Décris ton aspect physique. Décris aussi ta personnalité en parlant de ton caractère et de tes goûts.

Ex.: Je suis la grande princesse Annie. Je suis généreuse. Je n'aime pas monter à cheval.

OPTION 2

Imagine que tu es une personne au service du roi et de la reine, par exemple une cuisinière, un musicien ou un chevalier.

Décris ton aspect physique. Décris aussi ta personnalité en parlant de ton caractère et de tes goûts.

Ex.: Je suis un chevalier costaud. Je suis courageux. J'aime combattre les dragons.

Étape 1 • Planifie ton texte

1. J'imagine que je suis: Réponse personnelle.

2. Cette lettre s'adresse à: la reine et au roi du royaume du Boisé.

3. Je dois écrire pour: ☐ raconter. ☒ décrire. ☐ convaincre.

Étape 2 • Note quelques idées Réponses personnelles.

4. Écris des mots que tu utiliseras pour te décrire.

Mon aspect physique

____
____
____
____
____
____

Mon caractère

____
____
____
____
____
____

Mes goûts

____
____
____

Enrichis ta description en associant des actions à tes traits de caractère. Ex.: Je n'aime pas parler devant des gens, car je suis très timide.

Étape 3 • Écris ton texte Réponse personnelle.

5. Écris le brouillon de ta lettre, puis corrige-le à l'aide de ton aide-mémoire.

6. Écris ta lettre au propre.

ÉLÉMENTS clés

Éléments à ne pas oublier pour réussir ta lettre:

- le lieu et la date dans le haut de la lettre;
- une formule d'appel au début (ex.: *Cher roi, Madame*);
- des paragraphes qui te décrivent;
- des phrases écrites avec le pronom *je*;
- une formule de politesse à la fin (ex.: *Je vous dis à l'avance merci.*);
- ta signature à la fin de la lettre.

Un nouveau château

Lis le texte pour découvrir le château que le roi et la reine Bazur veulent faire construire.

Le roi et la reine Bazur veulent un nouveau château. Celui qu'ils ont ne leur convient plus. Ils le trouvent vieux et poussiéreux. Aujourd'hui, ils ont reçu de nombreuses personnes qui leur ont présenté des plans de châteaux. Cependant, le roi et la reine sont insatisfaits.

— C'est pourtant bien simple ! dit le roi. Je veux un château de la couleur du soleil avec une porte immense au centre pour y faire passer les 10 membres de la cour royale et tous mes chevaux.

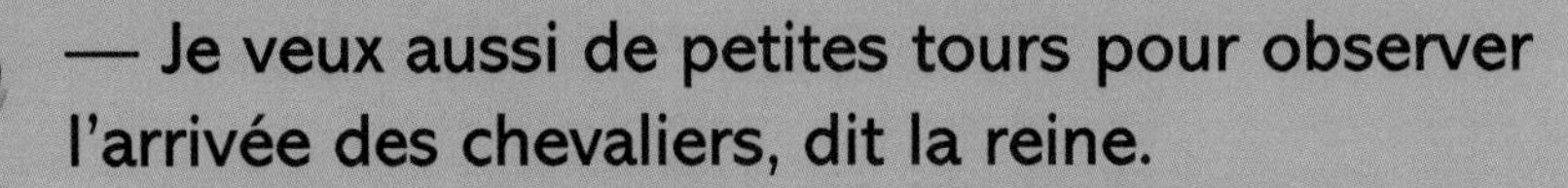

— Je veux aussi de petites tours pour observer l'arrivée des chevaliers, dit la reine.

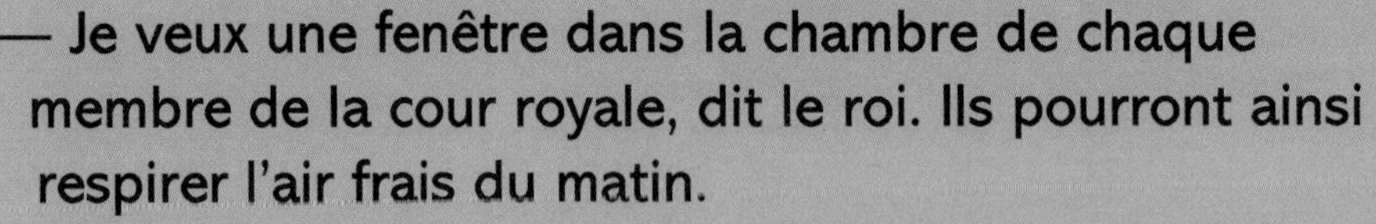

— Je veux une fenêtre dans la chambre de chaque membre de la cour royale, dit le roi. Ils pourront ainsi respirer l'air frais du matin.

— Bref, je veux le plus beau château du monde ! ajoute la reine.

Entoure le château que la reine et le roi Bazur veulent faire construire.

Lecture

Souvent, un texte informatif est accompagné d'illustrations ou de photos. Ces images aident à le comprendre. D'autres éléments comme le titre, le sous-titre, les intertitres, les encadrés et les schémas peuvent aussi faciliter la compréhension du texte.

L'organisation d'un texte informatif 

Exemple

L'UNIVERS

De la Galaxie au système solaire

L'Univers est immense et contient des milliards de galaxies.

La Voie lactée

Notre Galaxie s'appelle «la Voie lactée». Le système solaire se trouve dans la Voie lactée. Au centre du système solaire, il y a le Soleil. Autour du Soleil tournent huit planètes, dont la Terre.

> Le mot *lacté* signifie «fait avec du lait». La Voie lactée porte ce nom parce qu'elle ressemble à une grande trace de lait.

Univers
Voie lactée
Système solaire

Le titre
Le titre annonce généralement le sujet du texte.

Le sous-titre
Le sous-titre donne plus de détails sur le sujet du texte.

L'intertitre
L'intertitre annonce généralement le contenu du paragraphe qui le suit.

L'encadré
L'encadré donne de l'information complémentaire sur le sujet du texte.

Le schéma
Le schéma présente des informations du texte.

- Je lis un texte documentaire.
- J'utilise la stratégie *Survoler le texte.*

Lis le texte pour en apprendre davantage sur les planètes du système solaire.

LE SYSTÈME SOLAIRE Ⓘ

Les planètes du système solaire

par Frédérique Vezeau

Selon toi, de quoi sera-t-il question dans ce texte ?

Le Soleil est l'étoile la plus importante de notre système solaire. Sans lui, le système solaire serait noir et froid. Le Soleil est une immense boule de gaz. Il y a tellement d'énergie et de chaleur au centre du Soleil qu'on peut le comparer à une bombe très puissante. Huit planètes connues tournent autour du Soleil. Ces planètes sont : Neptune, Uranus, Saturne, Jupiter, Mars, Terre, Vénus, Mercure. Notre planète est la troisième plus près du Soleil. C'est grâce à cette distance qu'il y a assez de chaleur pour rendre la vie possible sur la Terre.

Le système solaire.

La planète Mars

La planète Mars, qu'on appelle la «planète rouge» à cause de sa couleur rouge, fascine les scientifiques. Ils ont d'ailleurs commencé son exploration il y a plusieurs années. Plusieurs robots ont été envoyés sur Mars. Le plus récent est le robot Curiosity. Le 6 août 2012, après un voyage de plus de huit mois, ce robot s'est posé sur la planète rouge. Cet engin, qui est un vrai laboratoire, est le robot le plus perfectionné jamais envoyé sur Mars.

Le robot Curiosity.

Le mouvement des planètes

Chaque planète tourne sur elle-même, un peu à la manière d'une toupie. La Terre, elle, met 24 heures à faire ce tour. C'est ce qui explique le jour et la nuit. En effet, quand c'est le jour, la face de la Terre où tu te trouves est devant le Soleil. Quand c'est la nuit, la face de la Terre où tu te trouves n'est plus devant le Soleil.

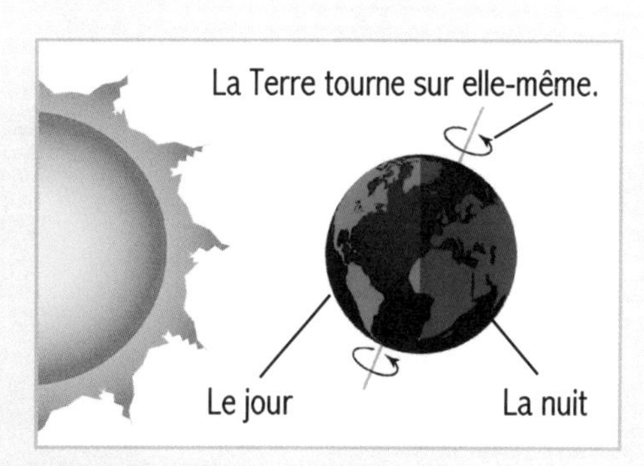

Le jour et la nuit.

Les planètes tournent sur elles-mêmes, et elles tournent aussi autour du Soleil. La Terre fait le tour du Soleil en 365 jours, c'est-à-dire en une année, ou encore en quatre saisons.

Deux sortes de planètes

Il y a deux sortes de planètes dans le système solaire : les planètes rocheuses et les planètes gazeuses. Les planètes rocheuses sont surtout faites de roches et de métaux, et elles n'ont pas d'**anneaux**. Les quatre planètes les plus près du Soleil sont des planètes rocheuses. Il s'agit de Mercure, Vénus, la Terre et Mars. Les planètes gazeuses sont faites de gaz et ont des anneaux. Il s'agit des planètes les plus éloignées du Soleil, soit Jupiter, Saturne, Uranus et Neptune.

anneau
Cercle qui entoure certaines planètes.

La planète Kepler 22-b.

Une planète qui ressemble à la Terre

Selon toi, de quoi sera-t-il question dans ce paragraphe ?

En 2011, une planète semblable à la Terre a été découverte. Les chercheurs l'ont nommée « Kepler 22-b ». Cette planète est située à l'extérieur du système solaire. Elle est très, très loin de la Terre, à des milliers de milliards de kilomètres.

Comme la Terre, la planète Kepler 22-b tourne autour d'une étoile, qui est semblable au Soleil. La distance entre cette étoile et Kepler 22-b pourrait y rendre la vie possible. Toutefois, les chercheurs ne savent pas encore s'il s'agit d'une planète rocheuse ou d'une planète faite de gaz.

Un observateur attentif

C'est le télescope spatial Kepler qui a découvert la « sœur » de la Terre, d'où son nom, Kepler 22-b. Ce télescope a été lancé dans l'espace en 2009 pour détecter des planètes à l'extérieur de notre Galaxie.

1 Quel est le sujet du texte que tu viens de lire?

Le système solaire.

2 a) Indique à quoi correspondent les trois énoncés dans la colonne de gauche. Écris **T** pour titre, **ST** pour sous-titre et **I** pour intertitre.

1. Le système solaire T
2. Les planètes du système solaire ST
3. Une planète qui ressemble à la Terre I

Il annonce le contenu du paragraphe qui le suit.

Le sous-titre donne plus de détails sur le sujet du texte.

Il annonce le sujet du texte.

b) Relie chaque énoncé à sa description.

3 Est-ce que la Terre est une planète rocheuse ou une planète gazeuse? Entoure la bonne réponse.

① Une planète rocheuse. ② Une planète gazeuse.

4 Écris le nom des planètes selon leur disposition dans le système solaire.

1. Mercure
2. Vénus
3. Terre
4. Mars
5. Jupiter
6. Saturne
7. Uranus
8. Neptune

5 Observe le schéma à la page 34. Trace un X dans la bonne case.

	Vrai	Faux
a) Saturne est plus près du Soleil que la Terre.		X
b) La Terre est plus grosse que Jupiter.		X
c) Mars est la quatrième planète la plus près du Soleil.	X	
d) Mercure est la planète la plus près du Soleil.	X	

6 Quelles sont les caractéristiques des planètes gazeuses? Trace un X devant la bonne réponse.

① ☐ Elles n'ont pas d'anneaux et elles sont près du Soleil.

② ☐ Elles n'ont pas d'anneaux et elles sont éloignées du Soleil.

③ ☒ Elles ont des anneaux et elles sont éloignées du Soleil.

④ ☐ Elles ont des anneaux et elles sont près du Soleil.

7 Remplis la fiche d'information sur la «sœur» de la Terre.

• Nom de la planète:
Kepler 22-b.

• Année de sa découverte:
2011.

• Distance de la Terre:
Des milliers de milliards de kilomètres.

• Sorte de planète:

☐ Planète gazeuse.

☐ Planète rocheuse.

☒ On ne le sait pas.

• Caractéristique qui la rend semblable à la Terre:
Elle tourne autour d'une étoile semblable au Soleil.

Le groupe du nom (GN) 

- Le nom, seul ou avec d'autres mots, forme un groupe du nom. Le nom est le noyau du groupe du nom. Si on efface le noyau, le groupe du nom n'a plus de sens.

  Ex. : *un ciel étoilé* → ⊘ *un ~~ciel~~ étoilé*

- Voici différentes constructions du groupe du nom :

Nom	GN [Nom: ***Julien***] *est curieux.*
Déterminant + **Nom**	*Il s'intéresse* GN [Dét.: *aux* Nom: ***étoiles***].
Déterminant + **Nom** + Adjectif	*Il étudie* GN [Dét.: *le* Nom: ***système*** Adj.: *solaire*].
Déterminant + Adjectif + **Nom**	*Il aime aller* GN [Dét.: *au* Adj.: *nouveau* Nom: ***planétarium***].

- Dans le groupe du nom, l'adjectif complète le nom. C'est un complément du nom.

1 Entoure le noyau dans chaque groupe du nom.

Ex. : quelques (observations) intéressantes

a) la (planète) bleue

b) un (astre) brillant

c) les (étoiles) filantes

d) une (constellation)

e) (Mars)

f) une nouvelle (comète)

g) l'(univers)

h) l'immense (espace)

i) une (galaxie) lointaine

j) le (Soleil)

k) un (satellite)

l) le (globe) terrestre

2 Entoure les adjectifs dans les groupes du nom.

a) une faible lumière jaune

b) une lueur blanche

Ex. : une belle étoile

c) une tache pâle

d) un petit point brillant

e) une grosse boule lumineuse

3 a) Souligne les groupes du nom dont le noyau est en gras.

Ex. : **Dimitri** lit son **album** documentaire.

1. Il tourne lentement les **pages** et survole les **textes** descriptifs.
2. Les **illustrations** sont belles et colorées.
3. Il rêve de s'envoler dans l'**espace** et d'explorer les **planètes**.
4. **Coralie** pourrait l'accompagner dans ses **voyages** spatiaux.
5. Ainsi, il ne s'ennuierait pas de sa grande **amie**.
6. Tous les deux, ils formeraient une **équipe** sensationnelle.
7. Ils vivraient sûrement plusieurs **aventures** extraordinaires.
8. Un **jour**, **Dimitri** réalisera peut-être son **rêve**.

b) Dans les groupes du nom que tu as soulignés, les adjectifs sont des compléments du nom. Entoure-les.

Ex. : **Dimitri** lit son **album** documentaire.

4 Dans le texte ci-dessous, souligne 12 groupes du nom.

Le savais-tu ?

Quand tu regardes une étoile avec un bon télescope, tu regardes peut-être sans le savoir une étoile morte. Même si tu la vois briller, elle est peut-être éteinte depuis plusieurs années. Comment est-ce possible ?

Il faut des années à l'énergie lumineuse pour traverser l'espace. Même si l'étoile morte a cessé de briller, sa lumière continue de voyager dans l'espace. Ce que tu vois, c'est donc sa lumière, ce n'est pas l'étoile.

D'autres constructions du groupe du nom (GN)

- Voici deux autres constructions du groupe du nom :

Déterminant + **Nom** + *à* + GN	GN: Dét. / Nom / *à* + GN *Tu actionnes la **commande** à distance.*
Déterminant + **Nom** + *de* + GN	GN: Dét. / Nom / *de* + GN *Tu portes une **combinaison** de protection.*

- Les mots *à* et *de* suivis d'un groupe du nom complètent le nom. Ce sont des compléments du nom.

5 Entoure le complément du nom dans chaque groupe du nom.

Ex. : une fusée (à étages)

a) une rampe (de lancement)

b) un compte (à rebours)

c) la mise (à feu)

d) le décollage (de la fusée)

6 Regarde l'image et complète les groupes du nom par les compléments du nom dans l'encadré. Suis les indications entre parenthèses.

- de la radio
- ~~de bord~~
- de commande
- lumineux
- de la fusée
- manuels
- puissant
- de l'astronaute

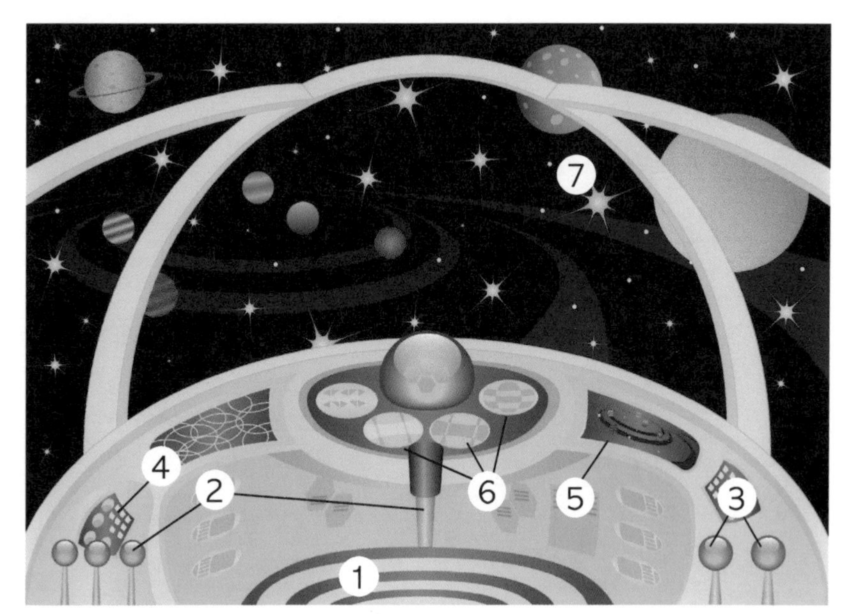

Ex. : le tableau (*de* + GN) de bord

Exemples de réponses :

1. le siège (*de* + GN) de l'astronaute
2. les manettes (*de* + GN) de commande
3. les freins (Adj.) manuels
4. les boutons (*de* + GN) de la radio
5. un ordinateur (Adj.) puissant
6. les cadrans (Adj.) lumineux
7. la fenêtre (*de* + GN) de la fusée

Écriture EXPRESS

Tu pars en voyage vers une planète inconnue.

- Dresse une liste de 10 objets essentiels à mettre dans ta valise. Pour désigner ces objets, écris des groupes du nom de constructions différentes.
- Entoure le noyau dans chaque groupe du nom.
  Ex. : un (savon) parfumé

► Révision, p. 69, n° 8.

Le radical et la terminaison

Il y a deux parties dans un verbe : le radical et la terminaison.

Le radical

Le radical est au début du verbe. Il sert à le reconnaître. C'est la partie du verbe qui ne change généralement pas quand on le conjugue.

Ex. : *j'aime, nous aimons, je finis, nous finissons*

La terminaison

La **terminaison** est à la fin du verbe. C'est la partie du verbe qui change quand on le conjugue.

Ex. : *j'aim**e**, nous aim**ions**, je fini**s**, nous finiss**ions***

Les verbes en ***-er*** comme *aimer* ont un radical. Les verbes en ***-ir*** comme *finir* ont deux radicaux.

1 Entoure les verbes qui ont deux radicaux.

a)

Verbe *chercher*	
je	cherche
tu	cherches
il / elle	cherche
nous	cherchons
vous	cherchez
ils / elles	cherchent

b)

Verbe *atterrir*	
j'	atterris
tu	atterris
il / elle	atterrit
nous	atterrissons
vous	atterrissez
ils / elles	atterrissent

c)

Verbe *réagir*	
je	réagis
tu	réagis
il / elle	réagit
nous	réagissons
vous	réagissez
ils / elles	réagissent

d)

Verbe *regarder*	
je	regarde
tu	regardes
il / elle	regarde
nous	regardons
vous	regardez
ils / elles	regardent

2 Souligne le radical du verbe *aimer* dans chaque verbe.

Ex. : j'aime

a) vous aimerez b) tu aimais c) nous aimerions
d) tu aimes e) nous aimions f) il / elle aimera
g) ils / elles aimeraient h) vous aimerez i) j'aimerais

3 Souligne le radical du verbe *finir* dans chaque verbe.
Attention ! Ce verbe a deux radicaux.

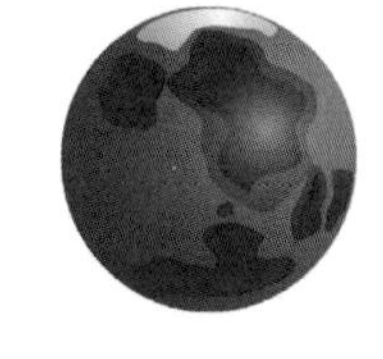

Ex. : je finissais

a) tu finis b) vous finiriez c) nous finissions
d) vous finissez e) ils / elles finissaient f) je finirai
g) ils / elles finissent h) nous finirions i) tu finirais

4 Entoure les terminaisons de chaque verbe conjugué.

a)

Verbe *aimer*	
Ex. : j'	aime
tu	aimes
il / elle	aime
nous	aimons
vous	aimez
ils / elles	aiment

b)

Verbe *utiliser*	
j'	utilise
tu	utilises
il / elle	utilise
nous	utilisons
vous	utilisez
ils / elles	utilisent

c)

Verbe *finir*	
je	finis
tu	finis
il / elle	finit
nous	finissons
vous	finissez
ils / elles	finissent

d)

Verbe *choisir*	
je	choisis
tu	choisis
il / elle	choisit
nous	choisissons
vous	choisissez
ils / elles	choisissent

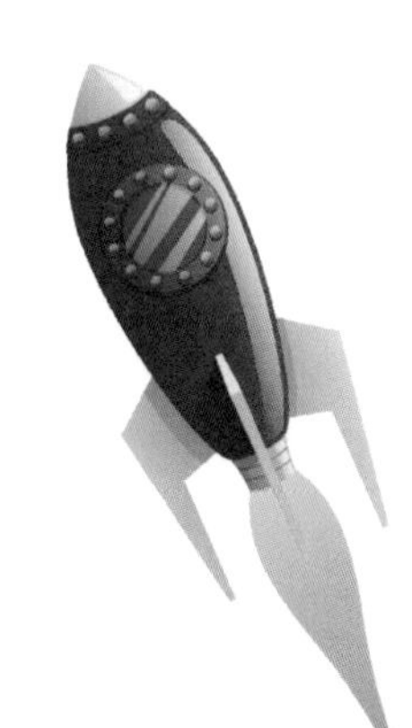

► Révision, p. 69, nº 9.

- Je lis un texte documentaire.
- J'utilise la stratégie *Survoler le texte.*

Lis le texte pour en apprendre davantage sur les étoiles.

Les étoiles

Les secrets d'un ciel étoilé

bleu

par Charlie Émond

Selon toi, de quoi sera-t-il question dans ce texte ?

Les étoiles sont des boules de gaz chaudes et lumineuses. Elles produisent elles-mêmes l'énergie qui les fait briller. Certaines étoiles sont nées récemment, d'autres sont très vieilles.

La couleur d'une étoile

On peut avoir l'impression que toutes les étoiles sont blanches, mais ce n'est pas le cas. Observées à l'aide d'un télescope ou de jumelles, certaines étoiles apparaissent jaunes, rouges, blanches et même bleues ! La couleur d'une étoile dépend de son âge et de sa température. Les moins chaudes sont rouges et les plus chaudes sont bleues.

La plus grosse étoile de l'Univers

vert

À l'aide d'un télescope très puissant, des chercheurs ont découvert la plus grosse étoile de l'Univers jamais observée, R136a1. Cette étoile est près de 100 fois plus large que le Soleil et plusieurs millions de fois plus lumineuse que lui.

La constellation d'Orion

Il y a très longtemps, des personnes ont observé le ciel et ont relié des étoiles entre elles à l'aide de lignes imaginaires. Elles ont créé des figures qu'on appelle aujourd'hui « constellations ».

La constellation d'Orion est une des plus belles constellations du ciel. Sa forme fait penser à celle d'un chasseur qui tient une épée au-dessus de sa tête et un bouclier devant lui. L'étoile la plus brillante de la constellation d'Orion s'appelle « Bételgeuse ». Au centre de la constellation, trois étoiles légèrement inclinées forment la ceinture d'Orion.

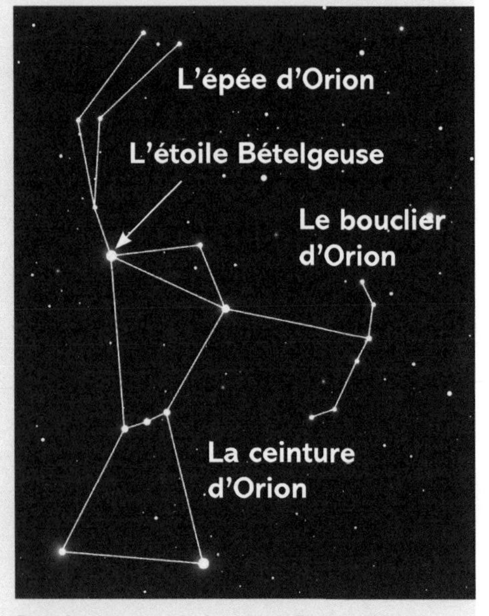

Représentation de la constellation d'Orion.

1 Quel est le sujet du texte que tu viens de lire?

Les étoiles.

2 Dans le texte *Les étoiles*:

- dessine une ★ à côté du titre;
- souligne en bleu le sous-titre;
- dessine un ☀ à côté de chaque intertitre;
- souligne en vert le titre de l'encadré.

3 La couleur d'une étoile dépend de sa température.

a) Entoure l'étoile la plus chaude.

b) Trace un X sur l'étoile la plus froide.

① ★ ② ★ ③ ★ ④ ★ ⑤ ★

4 Qu'est-ce qu'une constellation? Entoure la bonne réponse.

① Un groupe de vieilles étoiles qu'on peut voir à l'œil nu.

② Des étoiles de toutes les couleurs.

③ Une figure qui représente un groupe d'étoiles reliées entre elles.

④ Un groupe d'étoiles qui brillent.

5 Écris deux caractéristiques de la constellation d'Orion.

1. Exemples de réponses: Elle fait penser à un chasseur qui tient une épée au-dessus de sa tête et un bouclier devant lui.

2. Au centre, trois étoiles légèrement inclinées forment la ceinture d'Orion.

6 a) Comment s'appelle la plus grosse étoile jamais observée?

R136a1.

b) À quel endroit du texte as-tu trouvé cette information?

Dans l'encadré.

Grammaire

Les accords dans le groupe du nom (GN) 

Le **nom** donne son genre (masculin ou féminin) et son nombre (singulier ou pluriel) au déterminant et à l'adjectif qui forment avec lui un groupe du nom.

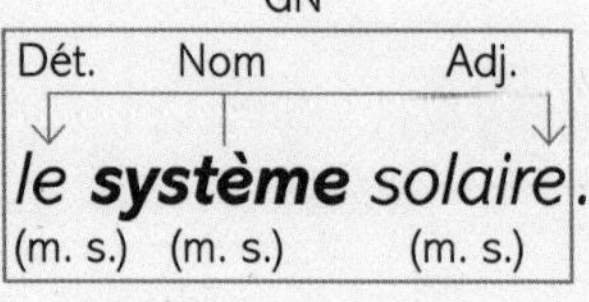

Ex. : *Yasmine découvre le **système** solaire.*

1 a) Dans chaque groupe du nom, trace une flèche qui va du nom donneur en gras à chacun de ses receveurs.

b) Indique si chaque receveur est un déterminant ou un adjectif.

Ex. : le **paysage** lunaire (Dét. / Adj.)

1. la **poussière** grise (Dét. / Adj.)
2. des **taches** sombres (Dét. / Adj.)
3. un gigantesque **cratère** (Dét. / Adj.)
4. des **vallées** creuses (Dét. / Adj.)
5. des **volcans** éteints (Dét. / Adj.)
6. les grosses **roches** (Dét. / Adj.)
7. un grand **désert** (Dét. / Adj.)
8. une **empreinte** visible (Dét. / Adj.)
9. un **sol** poussiéreux (Dét. / Adj.)
10. des **montagnes** rocheuses (Dét. / Adj.)
11. une **face** cachée (Dét. / Adj.)
12. la pleine **lune** (Dét. / Adj.)

Le nom est un donneur. Le déterminant et l'adjectif sont des receveurs.

2 a) Dans chaque groupe du nom, mets un point au-dessus du nom donneur, puis écris son genre et son nombre.

b) Trace une flèche qui va du nom donneur à ses receveurs.

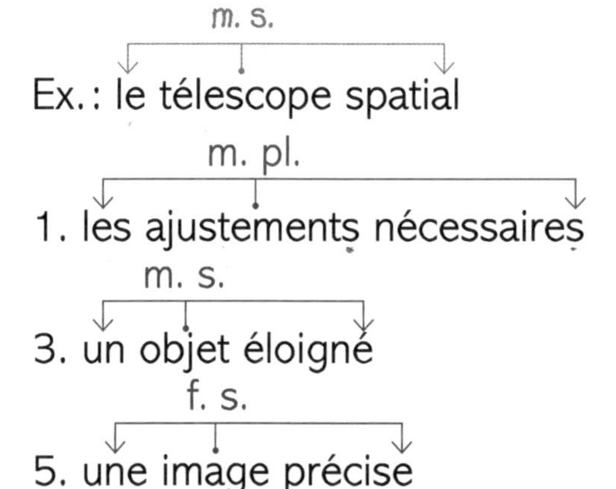

m. s.
Ex.: le télescope spatial

m. pl.
1. les ajustements nécessaires

m. s.
3. un objet éloigné

f. s.
5. une image précise

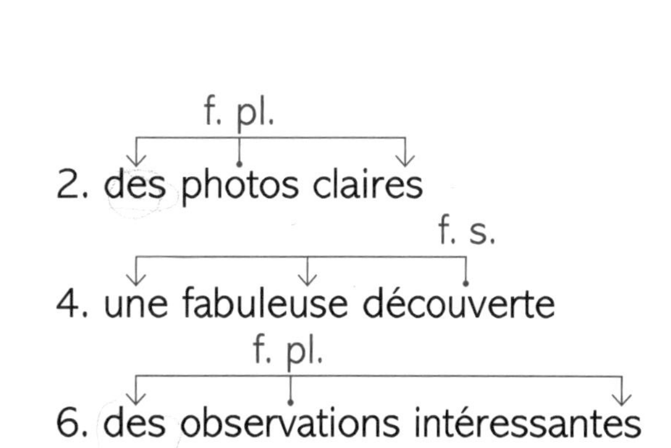

f. pl.
2. des photos claires

f. s.
4. une fabuleuse découverte

f. pl.
6. des observations intéressantes

3 Complète les groupes du nom en bleu par les bons adjectifs. Écris le genre et le nombre de chaque nom donneur pour t'aider.

a)

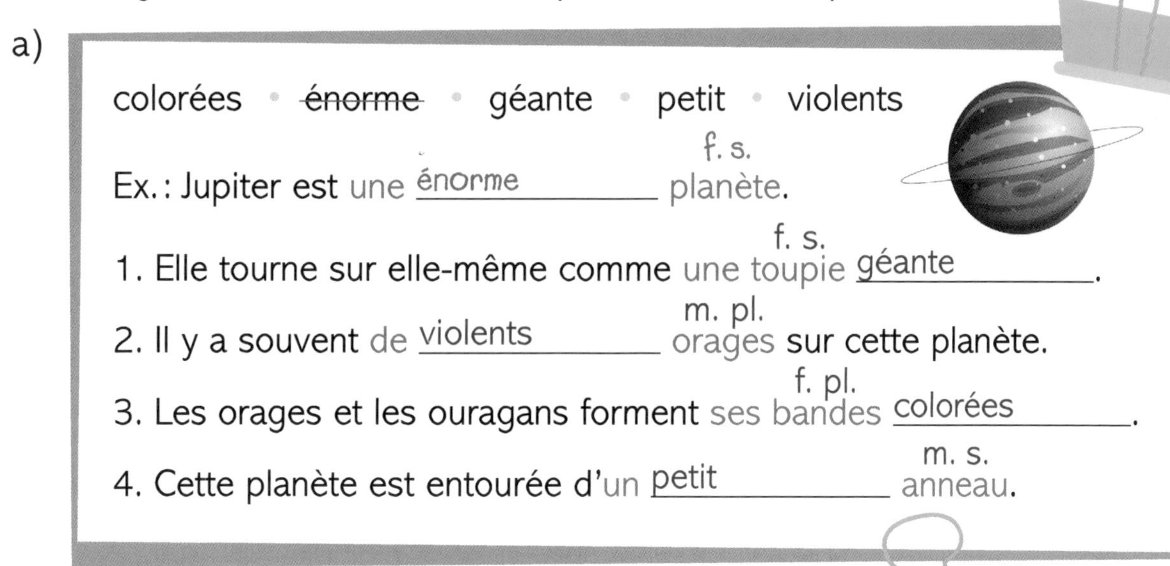

colorées • ~~énorme~~ • géante • petit • violents

Ex.: Jupiter est une énorme planète. (f. s.)

1. Elle tourne sur elle-même comme une toupie géante. (f. s.)
2. Il y a souvent de violents orages sur cette planète. (m. pl.)
3. Les orages et les ouragans forment ses bandes colorées. (f. pl.)
4. Cette planète est entourée d'un petit anneau. (m. s.)

b)

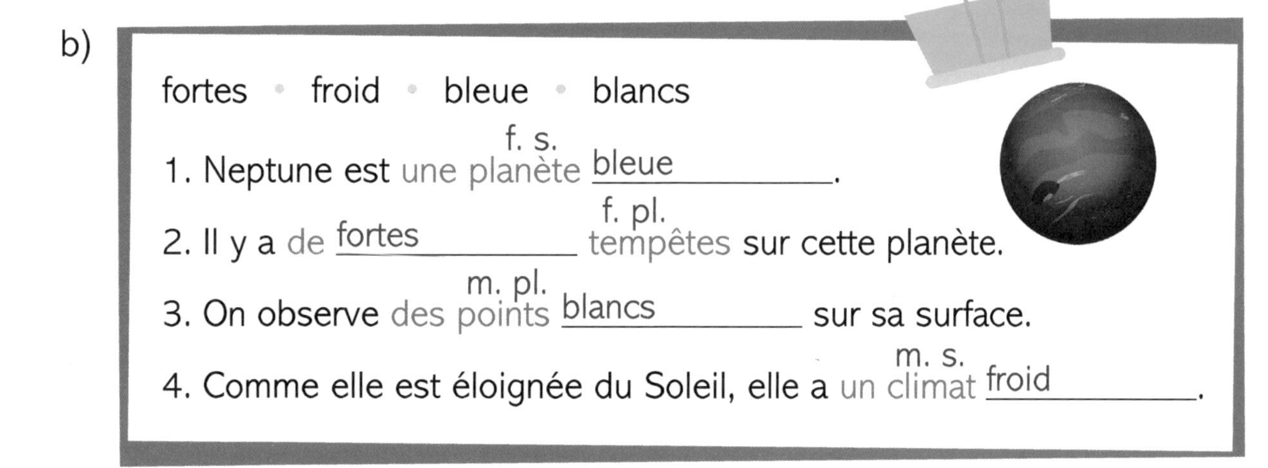

fortes • froid • bleue • blancs

1. Neptune est une planète bleue. (f. s.)
2. Il y a de fortes tempêtes sur cette planète. (f. pl.)
3. On observe des points blancs sur sa surface. (m. pl.)
4. Comme elle est éloignée du Soleil, elle a un climat froid. (m. s.)

4 a) Dans chaque phrase, entoure le nom qui donne son genre et son nombre à l'adjectif en gras, puis écris le genre et le nombre de ce nom.

b) Accorde correctement chaque adjectif en gras.

Ex. : Ce soir, Lucas et Élodie jouent les (astronomes) [m. pl.] **débutant** s.

1. Ils utilisent des (jumelles) [f. pl.] **puissant** es pour observer les étoiles.
2. Les étoiles brillent dans le (ciel) [m. s.] **noir** ___.
3. Une (étoile) [f. s.] **filant** e traverse soudainement le ciel.
4. Lucas regarde les (points) [m. pl.] **jaune** s sur sa carte du ciel.
5. Il cherche les (constellations) [f. pl.] **connu** es.

6. Les étoiles forment le dessin d'une **grand** e (casserole) [f. s.].
7. Lucas et Élodie passent une **excellent** e (soirée) [f. s.] à observer les étoiles dans le ciel.
8. Ils vont lire des (albums) [m. pl.] **documentaire** s pour s'informer davantage sur l'astronomie.

Écriture EXPRESS

Tu regardes dans un télescope.

- Écris cinq ou six phrases pour décrire ce que tu vois.
- Souligne les groupes du nom dans tes phrases.
- Vérifie les accords dans chaque groupe du nom. Laisse des traces de ta démarche.

► Révision, p. 69, nº 10.

Vocabulaire

Le sens des mots 

Un mot peut avoir plusieurs sens. Pour comprendre le sens d'un mot, il faut tenir compte du contexte, c'est-à-dire de la phrase dans laquelle il est utilisé.

Ex. : *L'astronaute **monte** dans la fusée.* *Sens : embarquer.*

*Zachary **monte** une fusée-jouet.* *Sens : fabriquer.*

1 a) Cherche chaque mot dans le dictionnaire. Écris une courte définition sous chacun.

b) Relie chaque mot à la bonne image.

Exemples de réponses :

1. astronef
   Vaisseau spatial.

2. astronaute
   Personne qui voyage dans l'espace.

3. internaute
   Personne qui utilise internet.

4. microscope
   Appareil qui sert à observer de petits objets.

5. télescope
   Appareil qui sert à observer le ciel.

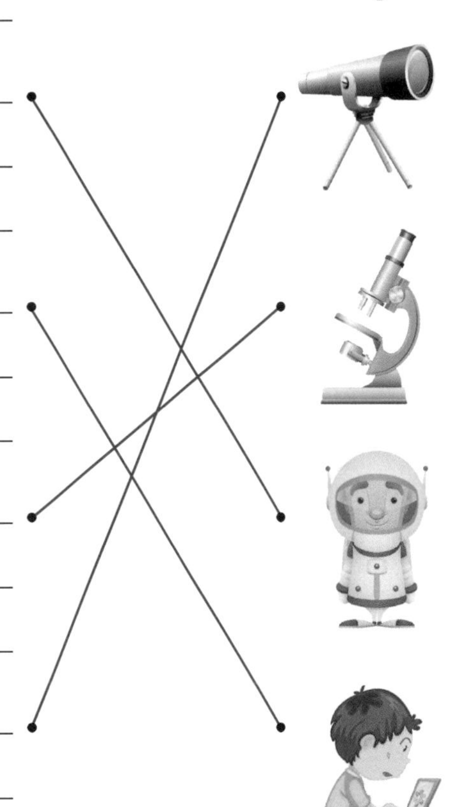

2 Entoure la définition de chaque mot en gras.

Cherche le mot dans le dictionnaire au besoin.

a) La Lune est le **satellite** de la Terre.

① (Objet qui tourne autour d'une planète.)

② Planète géante munie d'un anneau.

③ Étoile faite de glace et de poussière.

b) La Lune ressemble à un fromage à cause de ses **cratères**.

① Lacs asséchés.

② (Trous à la surface du sol.)

③ Montagnes très élevées.

c) Des **météorites** ont creusé des cratères sur la Lune.

① (Objets qui frappent la surface d'une planète.)

② Minuscules planètes.

③ Petites étoiles rouges.

3 Associe chaque mot en gras à l'une des deux définitions. Écris le numéro de chaque définition dans la bonne case.

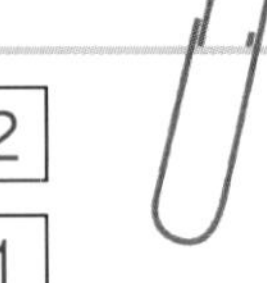

a)

Ils vont construire une **base** lunaire. [2]

L'équipe assemble la **base** de la navette. [1]

Définitions

1. Partie inférieure d'une chose.
2. Lieu équipé d'un matériel spécialisé.

b)

Un astronaute **marche** sur la Lune. [2]

L'astronaute vérifie si l'équipement **marche** bien. [1]

Définitions

1. Fonctionner.
2. Poser le pied.

► Révision, p. 69, nº 11.

Devinette

Je peux être dans la mer et je peux filer à toute vitesse dans le ciel.

Qui suis-je? Une étoile.

Charivari

Replace les lettres dans l'ordre pour former un mot qui a rapport au système solaire.

x	g	l	i	e	a	a

g a l a x i e

Charade

Mon 1er est un mot qui désigne une carte à jouer importante où il y a un seul signe. as

Mon 2e est un mot qui veut dire le contraire de *pas assez*. trop

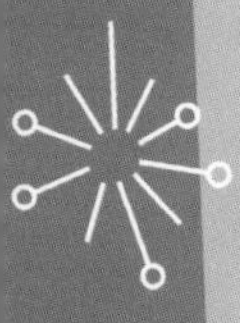

Mon 3e est la dernière syllabe du mot *canot*. not

Mon 4e est le mot *et* dont les lettres sont inversées. te

Mon tout explore l'espace. astronaute

Sans queue ni tête

Un des personnages n'emploie pas correctement le mot en gras. Trace un X sur ce personnage.

Un jour, j'irai sur la Lune à bord d'un **vaisseau** spatial.

La fusée a un **vaisseau** lumineux qui éclaire le ciel.

DiCO !

Quel est le féminin du mot *astronaute*?

Astronaute.

Intrus, intrus, intrus...

Les mots ci-dessous désignent des choses semblables, sauf un. Trace un X sur ce mot.

- Mars
- ~~Orion~~
- Neptune
- Terre

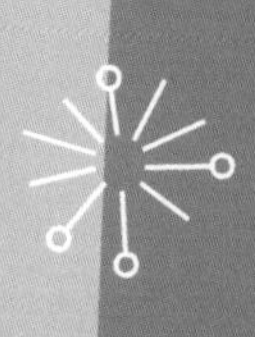

Lecture

Dans un récit, les personnages peuvent échanger des paroles. Pour montrer que les personnages parlent, l'auteur peut utiliser des tirets. D'autres indices aident aussi à comprendre qu'un personnage parle.

Les paroles des personnages

Exemple

Les monstres Nog et Topo se rencontrent dans la rue.

Nog dit :

— Hé ! Topo ! J'aimerais te poser une question.

— Ah oui ? Laquelle ?

— Quel est ton truc pour faire peur aux enfants ?

— C'est simple, cher ami, je leur souffle à l'oreille les mots *devoirs* et *brocoli*, **répond Topo** en riant.

Le tiret

Quand plusieurs personnages parlent, on met un tiret (—) devant les paroles de chaque personnage. Le tiret est toujours placé au début de la ligne.

Dans l'exemple, il y a un tiret chaque fois que les monstres Nog et Topo prennent la parole.

D'autres indices qui aident à comprendre qu'un personnage parle

Dans un texte, certains groupes de mots sont des indices qui aident à comprendre que des personnages parlent, comme les mots **Nog dit** et **répond Topo**.

- Je lis un extrait de roman.
- J'utilise la stratégie *Se dépanner*.

Lis le texte pour découvrir le genre de fête que Mouk et ses amis décident d'organiser.

L'Halloween toute l'année

Frissella le fantôme, Abrakadabra le chat et Mouk le monstre désirent organiser une fête à la Joyeuse maison hantée.

Mouk propose d'un air gourmand :

— On pourrait faire un buffet d'insectes ? C'est souvent ainsi qu'on célèbre les événements dans l'Univers des monstres. Miaaaam… Sauterelles grillées, coquerelles panées, coccinelles sautées…

> Que peux-tu faire pour comprendre le mot *coquerelles* ? Lis la stratégie *Se dépanner* dans ton aide-mémoire.

La grimace dégoûtée de Frissella empêche Mouk de continuer.

— Mauvaise idée, dit Abrakadabra. Trouvons autre chose.

Tous trois réfléchissent en silence quelques instants.

— Je crois que j'y suis, lance Mouk. J'ai lu beaucoup de livres sur le monde humain ces derniers temps…

— À cause de cette belle jeune fille dont tu es amoureux ? insinue Abrakadabra, **malicieux**.

> **malicieux**
> Espiègle, blagueur.

— RRRrrrrr ! Non, s'empresse de répondre Mouk. Non. Pas du tout. Absolument pas. Non, non, non. Rien à voir avec Coralie. C'est juste que j'aime lire et je m'intéresse aux humains. Par exemple, j'ai adoré le roman *Les trois mousquetaires*. L'avez-vous lu ? C'est l'histoire de quatre…

— MOUK ! l'interrompent Frissella et Abrakadabra. Ton idée !

— Ah oui, c'est vrai. Eh bien, en lisant sur les coutumes humaines, j'ai découvert une fête vraiment rigolote. Saviez-vous qu'une fois par année, les humains se déguisent et mangent des tonnes de bonbons ?

Que peux-tu faire pour comprendre le mot *ravi*? Lis la stratégie *Se dépanner* dans ton aide-mémoire.

Le gourmand Abrakadabra est ravi de la proposition. Il se lèche déjà les babines à l'idée de manger des plats sucrés. Frissella, elle, aurait surtout bien envie de se déguiser, mais elle ne peut s'empêcher de demander:

— Tu parles de l'Halloween, Mouk? Il y a un petit problème: cette fête a lieu le 31 octobre… On est encore bien loin de cette date!

Mouk baisse les yeux, déçu. Il aurait tellement aimé fêter l'Halloween une fois dans sa vie de monstre. Les trois amis se taisent et continuent à réfléchir. Pendant quelques secondes, dans le corridor de la Joyeuse maison hantée, on entendrait une puce sauter. Puis, soudain, Abrakadabra s'exclame:

— Que vous êtes bêtes, tous les deux!

Devant le regard interrogateur de Mouk et de Frissella, le chat explique:

— Regardez-nous! Nous ne sommes pas des humains! Et on peut dire sans se tromper que nous ne sommes pas comme tout le monde! Mouk est un monstre; toi, Frissella, tu es un fantôme; et moi, un chat de sorcière… Pas besoin d'attendre le 31 octobre pour fêter. Avec des créatures comme nous, à la Joyeuse maison hantée, c'est l'Halloween toute l'année! Allez vite vous préparer: notre ami Mouk part demain et, ce soir, il y aura une grande fête costumée en son honneur!

Martine LATULIPPE, *Mouk le monstre, Mouk mène le bal!*, Québec, Éditions FouLire, 2008, p. 26-30.

1 Où se déroule l'histoire que tu viens de lire?

À la Joyeuse maison hantée.

2 Voici des bulles qui contiennent des paroles d'Abrakadabra, de Mouk et de Frissella. Relie chaque bulle au bon personnage.

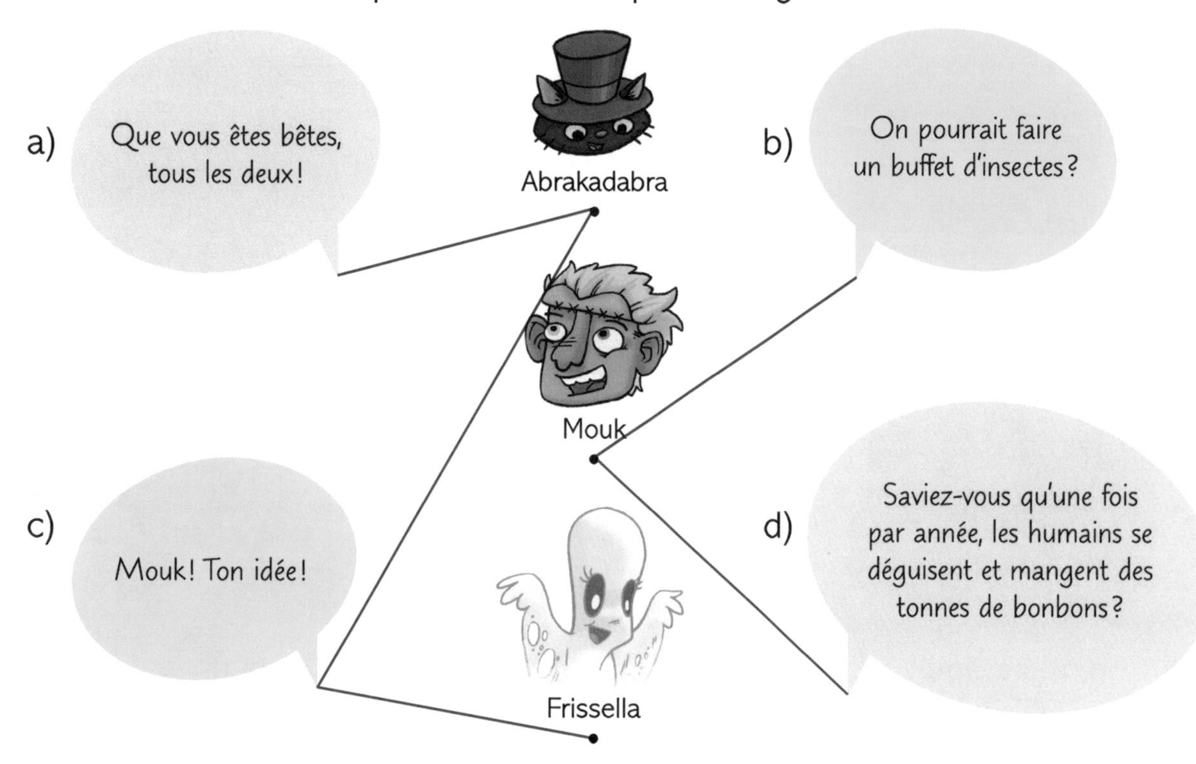

3 a) Lis le passage ci-dessous tiré du texte.

> La grimace dégoûtée de Frissella empêche Mouk de continuer.
>
> — Mauvaise idée, dit Abrakadabra. Trouvons autre chose.

b) Souligne le nom du personnage qui parle et entoure le verbe devant ce nom.

4 Mouk suggère de faire un buffet d'insectes. Écris le nom de deux insectes qui pourraient en faire partie selon Mouk.

1. Exemples de réponses: des sauterelles grillées,
2. des coquerelles panées, des coccinelles sautées.

5 Que signifie le mot *coquerelles*? Trace un X devant la bonne réponse.

① ☐ Des croquettes. ② ☒ Des insectes.
③ ☐ Des fleurs. ④ ☐ Des bonbons.

6 Que signifie le mot *ravi*? Trace un X devant la bonne réponse.

① ☒ Content. ② ☐ Inquiet.
③ ☐ Surpris. ④ ☐ Déçu.

7 Qui est Coralie? Entoure la bonne réponse.

① Un monstre. ② Un fantôme.
③ Une chatte. ④ (Une jeune fille.)

8 a) Entoure une caractéristique du chat Abrakadabra.

① Paresseux. ② (Gourmand.) ③ Curieux.

b) Souligne une phrase dans le texte qui prouve ta réponse.

9 Comment Mouk découvre-t-il la fête de l'Halloween? Trace un X devant la bonne réponse.

① ☐ Il la découvre en regardant la télévision.
② ☒ Il la découvre en lisant un livre.
③ ☐ Il la découvre en parlant avec le chat Abrakadabra.

10 a) Quelle fête Mouk et ses amis décident-ils d'organiser?

Exemple de réponse: Une grande fête costumée comme l'Halloween.

b) Que penses-tu de cette idée? Explique ta réponse.

Exemple de réponse: C'est une bonne idée. C'est amusant de se déguiser peu importe le mois de l'année.

Le verbe

- Le plus souvent, le **verbe** sert à exprimer une action.
  Ex. : *Barbelu* ***brosse*** *ses longs poils.*
- Le verbe sert aussi à donner des précisions sur quelqu'un ou sur quelque chose.
  Ex. : *Il* ***est*** *poilu.*
- Pour savoir si un mot est un **verbe conjugué**, on l'encadre par *ne… pas* ou *n'… pas*.
  Ex. : *Barbelu* ***va*** *chez le coiffeur.* → *Barbelu ne* ***va*** *pas chez le coiffeur.*

1 Récris chaque phrase en encadrant le verbe en gras par *ne… pas* ou *n'… pas*.

Ex. : Le monstre Barbelu **a** les poils trop longs.

Le monstre Barbelu n'a pas les poils trop longs.

a) Le monstre **va** chez le coiffeur.

Le monstre ne va pas chez le coiffeur.

b) Le coiffeur **sèche** les poils du monstre.

Le coiffeur ne sèche pas les poils du monstre.

c) Barbelu **ressemble** à un balai.

Barbelu ne ressemble pas à un balai.

d) Le coiffeur **saisit** ses ciseaux.

Le coiffeur ne saisit pas ses ciseaux.

e) Il **coupe** les poils du monstre.

Il ne coupe pas les poils du monstre.

f) Barbelu **est** affreux et il **semble** content.

Barbelu n'est pas affreux et il ne semble pas content.

Le verbe conjugué

Le verbe est le seul mot qui se conjugue. Sa **terminaison** change selon :

- le pronom de conjugaison qui se trouve avant lui (*je, tu, il / elle, nous, vous, ils / elles*) ;
- le temps de conjugaison.

Ex. : *je regard**e**, je regard**ais**, elle regard**era**, elle regard**erait***

Les principaux temps de conjugaison sont le présent, l'imparfait, le futur et le conditionnel présent.

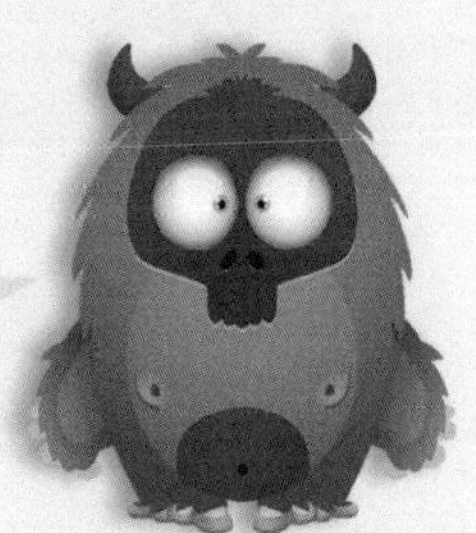

2 Entoure le pronom de conjugaison avant chaque verbe en gras.

a) J' **entends** des bruits étranges dans le grenier.

b) Nous **montons** les marches lentement.

c) Il **ouvre** la porte d'une main tremblante.

d) Derrière les rideaux, elle **remarque** une forme étrange.

e) Vous **découvrez** une petite créature bizarre.

f) Tu **pousses** un petit cri de surprise.

3 Dans les phrases ci-dessous, les verbes en gras sont au présent. Écris l'infinitif de chaque verbe en gras.

Ex. : Globulo **a** un horrible problème. avoir

a) Il **cogne** sa tête contre les murs. cogner

b) Il **décide** d'aller à la clinique Les affreux. décider

c) Globulo **tremble** de peur devant le docteur Grobonsan. trembler

d) Le médecin **examine** les gros yeux du monstre. examiner

e) Monsieur Grobonsan **réfléchit** quelques instants. réfléchir

f) Il **passe** un examen de la vue à Globulo. passer

g) Globulo **a** simplement besoin de lunettes ! avoir

h) Il **est** content de mieux voir. être

4 Souligne cinq verbes conjugués dans les phrases ci-dessous.

Ex. : Liam apprivoise un monstre très peureux.

a) Liam parle au monstre toujours doucement.

b) Il lui donne du lait et des biscuits.

c) Le monstre et Liam jouent parfois à cache-cache dans la maison.

d) Le monstre trouve toujours la meilleure cachette.

e) Maintenant, ils sont des amis inséparables.

5 Souligne les 14 verbes conjugués dans le texte ci-dessous.

Marie-Croque

Marie-Croque cherche des amis pour jouer. Curieusement, les enfants de son voisinage évitent sa présence. Ils ont peur d'elle. Elle ne sait pas pourquoi. Elle a la peau affreusement pâle et les dents un peu pointues. C'est vrai. Elle passe la nuit dans une boîte. C'est vrai. Mais, elle est très gentille.

Marie-Croque sonne chez ses nouveaux voisins pour leur souhaiter la bienvenue. Un petit bonhomme ouvre la porte. Il lui fait un sourire avec ses petites dents pointues. Marie-Croque a enfin un ami. Son nom est Croque-tout.

Écriture EXPRESS

Abominus se prépare pour l'Halloween.

- Écris huit phrases qui décrivent l'horaire de sa journée.
- Souligne les verbes conjugués dans tes phrases.
  Ex. : Abominus déjeune avec ses parents.

► Révision, p. 70, nos 12 et 13.

Conjugaison

Le présent de l'indicatif des verbes comme *aimer* et *finir*

- Le présent indique qu'un fait, un événement ou une action a lieu au moment où on parle.
- Les verbes *aimer* et *finir* servent de modèles pour la conjugaison de milliers de verbes.

Verbe *aimer*		Verbe *finir*	
j'	aim**e**	je	fini**s**
tu	aim**es**	tu	fini**s**
il / elle	aim**e**	il / elle	fini**t**
nous	aim**ons**	nous	finiss**ons**
vous	aim**ez**	vous	finiss**ez**
ils / elles	aim**ent**	ils / elles	finiss**ent**

1 Conjugue au présent les verbes *voler* et *grandir*. Relie chaque radical à la bonne terminaison.

a)

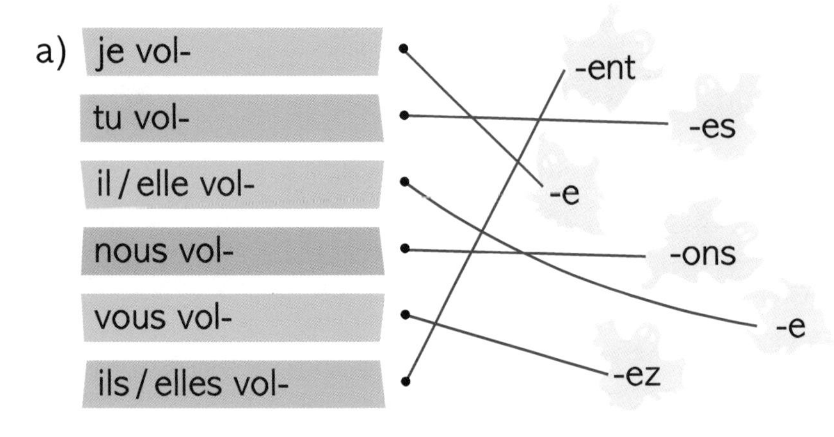

b)

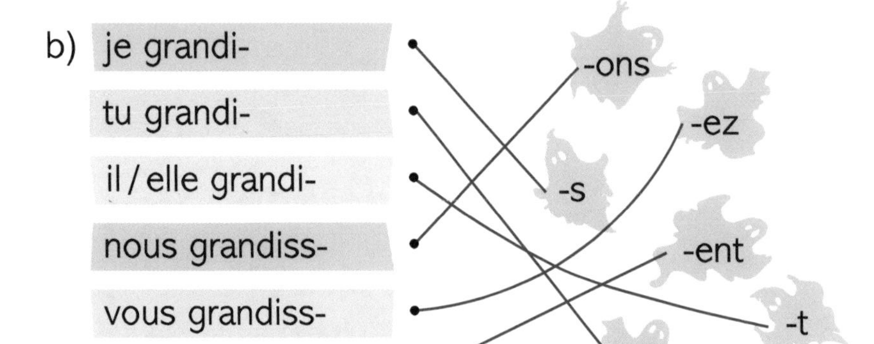

Le verbe *voler* se conjugue comme *aimer*. Le verbe *grandir* se conjugue comme *finir*.

2 Complète chaque phrase par un des verbes ci-dessous.

aidez • conseillent • dévore • éprouves • réussissons • saisit

a) **Je** dévore parfois de drôles d'objets.

b) **Tu** éprouves une douleur à une dent.

c) **Il** saisit le téléphone pour appeler le dentiste.

d) **Nous** réussissons à réparer son énorme dent cassée.

e) **Vous** aidez Glouglou à retrouver le sourire.

f) **Ils** conseillent au monstre de prendre soin de ses dents.

3 a) Écris au présent chaque verbe entre parenthèses.

b) Entoure la terminaison de chaque verbe.

Verbe en *-er* comme *aimer*

Ex. : je	(laver)	lave
tu	(visiter)	visites
il / elle	(regarder)	regarde
nous	(réparer)	réparons
vous	(aider)	aidez
ils / elles	(écouter)	écoutent

Verbe en *-ir* comme *finir*

je	(choisir)	choisis
tu	(avertir)	avertis
il / elle	(réfléchir)	réfléchit
nous	(guérir) cure	guérissons
vous	(réagir) react	réagissez
ils / elles	(remplir)	remplissent

► Révision, p. 70, nº 14.

- Je lis un extrait d'album.
- J'utilise la stratégie *Se dépanner.*

Lis le texte pour savoir pourquoi Crystale a peur.

Maman, il y a un enfant sous mon lit!

Depuis quelques nuits, Crystale se réveille à cause d'un bruit sous son lit. Chaque fois, Crystale appelle sa mère.

Dès qu'elle entend l'appel pressant de sa fille, la mère de Crystale accourt. [...]

— Qu'est-ce qu'il y a encore, ma chérie?

— Maman, IL est de retour!

La mère de Crystale soupire.

— C'est juste un autre mauvais rêve...

— Non! répond Crystale. J'en suis sûre! Il y a un enfant sous mon lit!

La mère de Crystale essaie de rassurer sa fille.

— Les enfants n'existent que dans ton imagination, dit-elle.

— Non, maman! Ils existent à la télé, dans les livres et surtout... sous mon lit!

— Rendors-toi...Tout va bien aller.

Et la mère quitte la chambre [...]

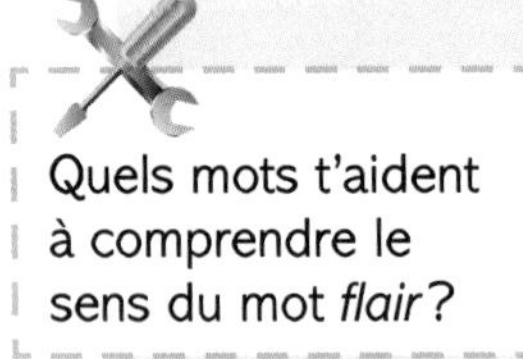

Quels mots t'aident à comprendre le sens du mot *flair*?

Comment Crystale pourrait-elle prouver à sa mère qu'il y a un enfant dans sa chambre? L'odeur, peut-être? «Oui! Ma mère a du flair, songe-t-elle. Elle va sûrement sentir l'odeur de l'enfant.»

— Maman! Mamaaaaaaaaan!

La mère de Crystale accourt.

— Maman! Ça pue ici! Ça sent l'enfant, tu ne trouves pas?

Sa mère renifle l'air.

— C'est vrai que ça sent drôle, admet-elle. Oh! Je sais ce que c'est...

Elle tourne ses trois yeux vers sa fille et lui dit d'un ton sévère:

— Ça sent le monstre propre! Combien de fois faudra-t-il te répéter de ne pas prendre de bain avant de te coucher?

Alain M. BERGERON, *Maman! Il y a un enfant sous mon lit!*, Montréal, Éditions Imagine, 2010.

1 Où se déroule l'histoire que tu viens de lire?

Dans la chambre de Crystale.

2 Entoure les personnages qui parlent dans l'histoire.

① 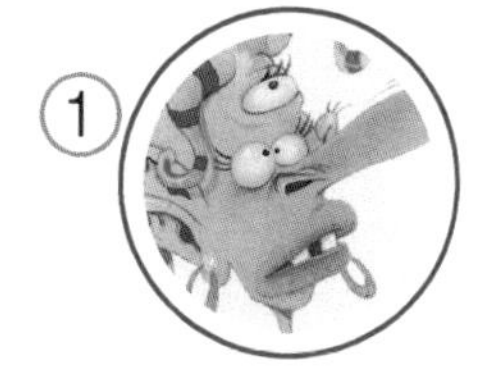 ② 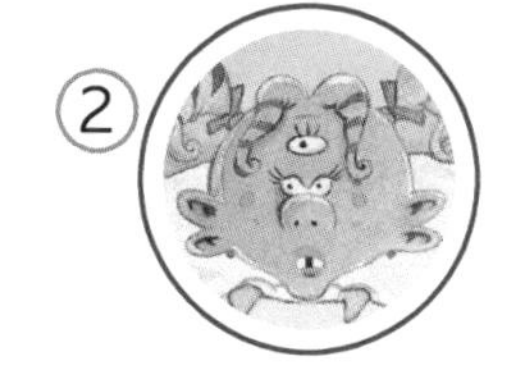 ③ 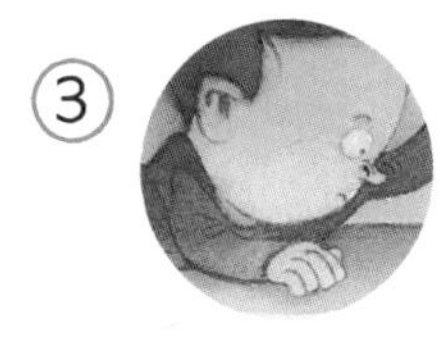

3 Relie chaque bulle au bon personnage.

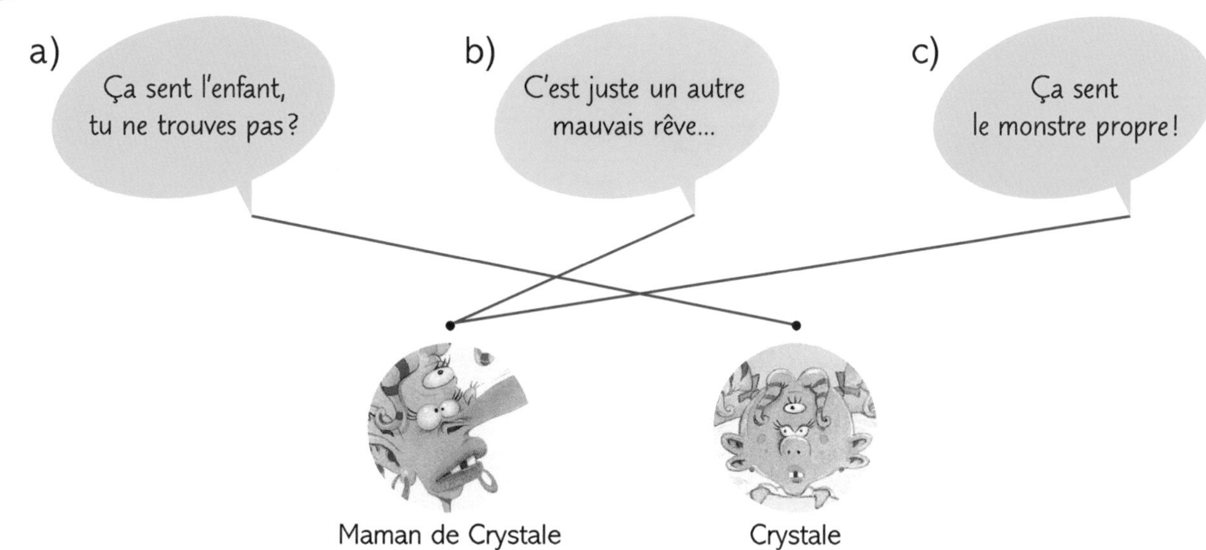

4 a) Lis le passage ci-dessous tiré du texte.

> — Non! répond Crystale. J'en suis sûre!
> Il y a un enfant sous mon lit!
>
> La mère de Crystale essaie de rassurer sa fille.

b) Entoure le verbe devant le nom du personnage qui parle.

5 Dans la phrase ci-dessous, qu'est-ce que la répétition de la lettre ***a*** indique? Trace un X devant la bonne réponse.

> Maman! Mamaaaaaaaaan!

① ☐ Crystale fait un mauvais rêve. ② ☒ Crystale crie.

Écris le début d'une histoire

Pour la première fois de sa vie, le monstre Bibo est en visite chez les êtres humains. Il rencontre des personnes qui lui apprennent des choses sur la vie des enfants.

Écris le début d'une histoire dans laquelle Bibo rencontre un être humain. Écris d'abord quelques phrases qui présentent le temps et le lieu de cette rencontre. Fais ensuite parler les personnages.

OPTION 1

Bibo rencontre une fillette déguisée en sorcière.

Il peut la rencontrer le soir de l'Halloween, près d'une maison hantée. Les deux personnages peuvent parler du déroulement de la fête, des déguisements, etc.

Ex.: Le soir de l'Halloween, Bibo se rend à une fête. Il rencontre une fillette déguisée en sorcière…

OPTION 2

Bibo rencontre un jeune garçon.

Il peut le rencontrer le samedi matin au parc. Les deux personnages peuvent parler des jeux favoris des enfants, de leurs sports préférés, etc.

Ex.: Un samedi matin, alors qu'il se repose dans un parc, Bibo rencontre un jeune garçon…

Étape 1 • Planifie ton texte

1. J'écris le début d'une histoire dans laquelle Bibo rencontre:

Réponse personnelle.

2. J'aimerais faire lire le début de mon histoire à: Réponse personnelle.

3. Je dois écrire pour: [X] raconter. [ ] décrire. [ ] convaincre.

Étape 2 • **Note quelques idées** Réponses personnelles.

4. Écris des mots que tu utiliseras pour rédiger le début de ton histoire.

Le temps

____

Le lieu

____

Les personnages parleront de :

- ______________________
____
- ______________________
____
- ______________________
____

Étape 3 • **Écris ton texte** Réponse personnelle.

5. Écris le brouillon du début de ton histoire, puis corrige-le à l'aide de ton aide-mémoire.

6. Écris le début de ton histoire au propre.

Utilise différents mots pour écrire des questions. Ex.: *est-ce que, qu'est-ce que, qui, où, quand, comment, pourquoi,* combien, etc.

ÉLÉMENTS clés

Éléments à ne pas oublier pour réussir le début de ton histoire :

- quelques phrases d'introduction qui présentent les personnages, le temps et le lieu de leur rencontre ;
- un changement de ligne chaque fois qu'un personnage prend la parole ;
- un tiret devant les paroles de chaque personnage ;
- un point d'interrogation (?) à la fin de chaque question.

CREUSE-méninges lecture

L'Halloween chez les Grabin

Lis le texte pour savoir comment la famille Grabin fête l'Halloween.

Aujourd'hui, c'est l'Halloween. La famille Grabin célèbre toujours cette fête en jouant une partie de cache-cache dans le château hanté du quartier. Monsieur et madame Grabin finissent toujours par découvrir les cachettes de leurs petits monstres. Cette année, les petits monstres se sont si bien cachés que Monsieur et madame Grabin ont besoin d'aide pour les trouver.

Lis les paroles des petits monstres pour découvrir où ils sont cachés. Écris le numéro de chaque cachette à côté du bon monstre.

1. Dans le salon. 2. Dans le grenier. 3. Dans la salle de bain.

3

Je suis juste de la bonne taille pour me cacher dans cette grande cuve blanche. Comme je déteste l'eau, mes parents ne penseront pas à me chercher ici.

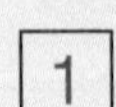

1

J'ai réussi à me faufiler derrière cette grosse boîte à images. Bien sûr, elle ne fonctionne pas, car il n'y a pas d'électricité dans le château. Papa et maman seront surpris que je ne la regarde pas!

2

Je suis à l'endroit le plus haut du château. Les habitants y montent seulement pour y ranger de vieilles choses. Je vois des souris qui trottinent. Vite! Je referme la trappe et j'attends que mes parents me trouvent.

Révision du dossier 1

- Le nom, p. 7
- Le déterminant, p. 10
- L'adjectif, p. 14
- Le verbe à l'infinitif, p. 17

Grammaire • Conjugaison • Vocabulaire

1 Souligne les noms dans le texte.

C'est brillant!

En 1879, Thomas Edison fabrique une ampoule électrique durable. Avant de réussir, il fait plusieurs essais. Il y met beaucoup d'efforts, mais son travail est récompensé.

Son invention est très importante. Elle transporte l'électricité dans les maisons. Maintenant, les gens ne pourraient plus s'en passer.

2 a) Souligne les déterminants dans les phrases ci-dessous.

b) Écris un autre déterminant au-dessus de chaque déterminant pour vérifier tes réponses. Exemples de réponses:

1. Lorenzo a inventé des (les) assiettes mangeables.
2. Ces (Les) assiettes ont plusieurs (des) saveurs délicieuses.
3. Cette (Une) assiette goûte la (une) framboise.

3 a) Écris deux adjectifs pour décrire l'invention illustrée.

Exemples de réponses:
Une pile (battery): utile ____ petite ____

b) Écris une phrase avec un de ces adjectifs.

Exemples de réponse: La pile est utile pour alimenter une lampe de poche.

Ma sœur a besoin de mettre trois petites piles dans sa radio.

4 Écris *ne pas* devant chaque verbe à l'infinitif.

a) ne pas prendre b) ne pas garder c) ____ couture

d) ne pas choisir e) ____ atelier f) ne pas couper

g) ____ miroir h) ne pas ouvrir i) ne pas revoir

• Les règles générales de formation du féminin et du pluriel, **p. 24**
• Le dictionnaire, **p. 26**

5 Utilise les noms et les adjectifs ci-dessous pour former quatre groupes de mots au féminin. Ajoute un déterminant devant chaque groupe.

Noms	~~combattant~~ • ennemi • géant • inconnu
Adjectifs	aimable • ~~jeune~~ • puissant • terrifiant

Exemples de réponses :

Ex. : une jeune combattante — a) une ennemie puissante

b) une géante terrifiante — c) une inconnue aimable

6 Écris au pluriel les mots entre parenthèses.

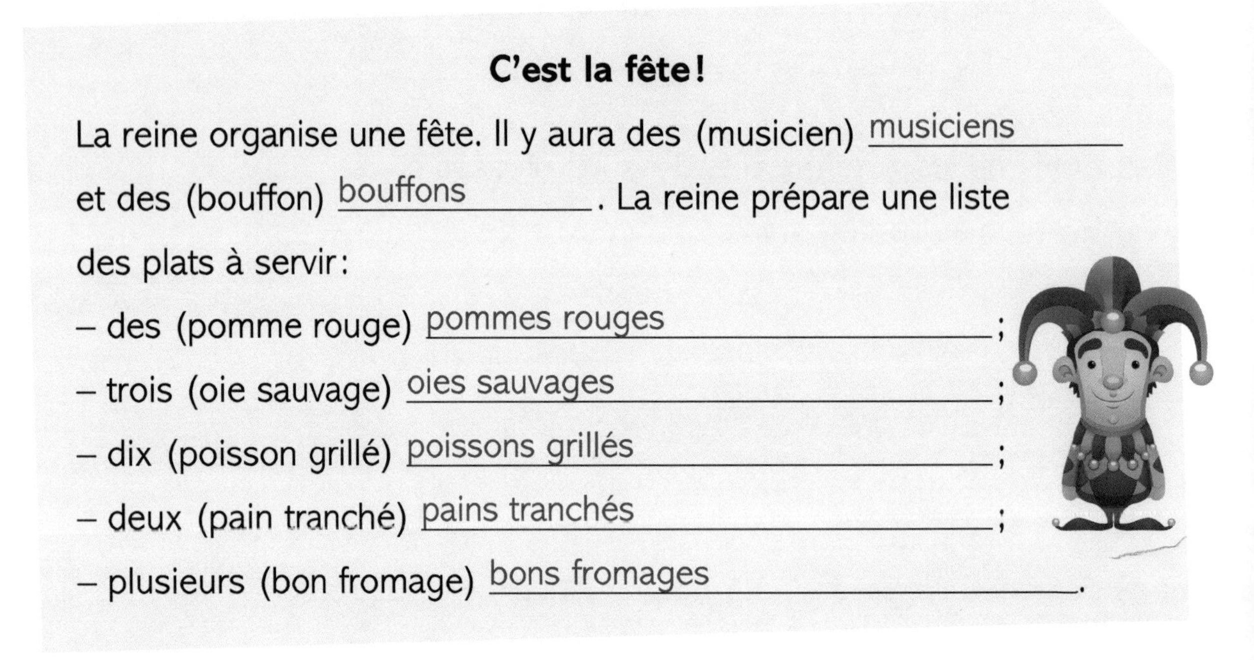

C'est la fête !

La reine organise une fête. Il y aura des (musicien) musiciens et des (bouffon) bouffons. La reine prépare une liste des plats à servir :

– des (pomme rouge) pommes rouges ;
– trois (oie sauvage) oies sauvages ;
– dix (poisson grillé) poissons grillés ;
– deux (pain tranché) pains tranchés ;
– plusieurs (bon fromage) bons fromages.

7 a) Classe les mots par ordre alphabétique en les numérotant de 1 à 4.

[3] pipeau [2] lyre [1] cor [4] tambourin

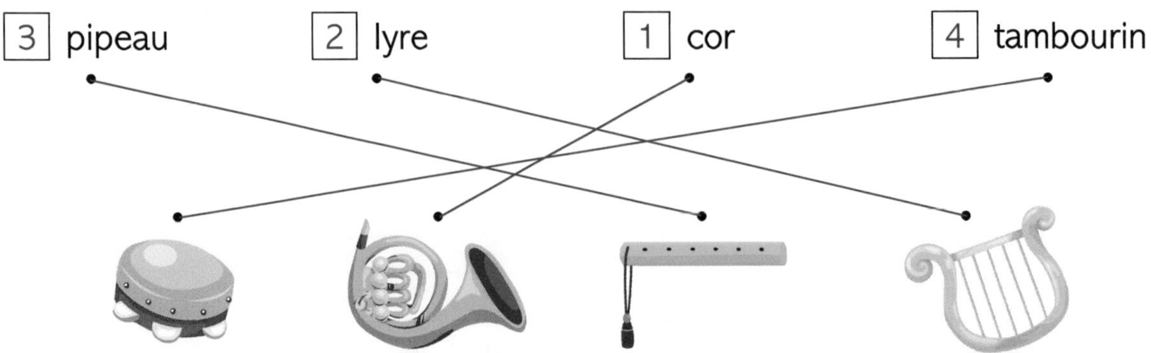

b) Relie ensuite chaque instrument des musiciens du roi à la bonne image.

- Le groupe du nom (GN), **p. 38**
- Le radical et la terminaison, **p. 42**
- Les accords dans le groupe du nom (GN), **p. 46**
- Le sens des mots, **p. 49**

8 Indique la construction des groupes du nom en gras à l'aide des numéros suivants.

1. Nom | 2. Dét. + Nom | 3. Dét. + Nom + Adj. | 4. Dét. + Nom + *de* + GN

a) J'observe **une planète gigantesque** avec mes jumelles. [3]

b) Je vois **les anneaux de la planète**. [4]

c) **Ces anneaux** sont très brillants. [2]

d) C'est **une planète gazeuse**. [3]

e) **Saturne** est l'une des plus belles planètes du système solaire. [1]

9 Entoure la terminaison des deux derniers verbes de chaque série. Ces verbes ont un seul radical.

Ex. : je compt(e) — nous compt(ions) — vous compt(erez)

a) il / elle brill(e) — ils / elles brill(aient) — ils / elles brill(eront)

b) je cach(e) — vous cach(erez) — nous cach(erions)

c) vous demand(iez) — je demand(e) — tu demand(ais)

10 a) Écris les déterminants *un*, *une* ou *des* devant chaque nom.

b) Accorde correctement l'adjectif qui accompagne chaque nom.

Ex. : une température froide

1. une couleur claire
2. des rayons brûlants
3. une forme ronde
4. un trou profond
5. des courants chauds
6. des planètes lointaines

11 Trace un X devant la définition qui exprime le sens du mot en gras.

La Terre parcourt une **orbite** autour du Soleil.

① [X] Trajet courbe autour d'un astre.

② [ ] Trou dans le crâne où se situe l'œil.

- Le verbe, **p. 57**
- Le présent de l'indicatif des verbes comme *aimer* et *finir*, **p. 60**

12 a) Souligne le verbe conjugué dans chaque phrase.

b) Récris chaque phrase en remplaçant ce verbe par un autre verbe au présent.

Ex.: Rigolio, le petit monstre, est gentil.

Rigolio, le petit monstre, semble gentil.

Exemples de réponses:

1. Le monstre entre à l'école avec ses amis.

Le monstre va à l'école avec ses amis.

2. Madame Pointue aime Rigolio.

Madame Pointue adore Rigolio.

3. Elle enseigne à lire au monstre.

Elle apprend à lire au monstre.

13 Souligne sept verbes conjugués dans le texte.

Globule

Il y a un monstre dans ma maison. Il habite dans ma garde-robe. Son nom est Globule.

Chaque soir, il grimpe dans mon lit sans faire de bruit. Sous les couvertures, nous lisons une histoire à l'aide d'une lampe de poche. Puis, je pose ma tête sur l'oreiller. Grâce à lui, je n'ai jamais peur la nuit.

14 Écris au présent les verbes entre parenthèses.

Ex.: Nous (entrer) entrons chez le marchand de glaces.

a) Je (choisir) choisis une glace à la fraise.

b) Tu (dévorer) dévores ta glace avec l'aide de ton ami à trois yeux.

c) Vous (terminer) terminez de manger rapidement votre glace.

d) Nous (rentrer) rentrons à la maison le ventre plein.

Dossier 2

Lecture

Dans un récit, il arrive un moment où le personnage fait face à un problème. Ce problème, c'est l'élément déclencheur. Cet élément pousse le personnage à chercher des solutions, ce qui fait avancer l'histoire.

L'élément déclencheur d'un récit 

Exemple

Comme chaque matin, le pirate Barbe-Grise et sa fille se promènent sur le pont de leur bateau. Ils discutent de l'itinéraire de la journée et vérifient sur leur carte le chemin à suivre pour se rendre à bon port.

Mais ce matin, c'est la catastrophe! Ils ont perdu la carte. Barbe-Grise et sa fille courent de gauche à droite sur le bateau et alertent tous les membres de l'équipage.

— Moussaillons! Moussaillons! Nous avons perdu la carte! crie à tue-tête le pirate en tirant sur les quatre cheveux qui lui restent.

L'élément déclencheur

L'élément déclencheur est un problème auquel fait face le personnage de l'histoire. Ce problème peut être une difficulté ou un événement inattendu.

Dans l'exemple, l'élément déclencheur est un événement inattendu, **la perte de la carte**.

Les mots qui introduisent l'élément déclencheur

L'élément déclencheur est souvent introduit par des mots comme *soudain, tout à coup, ce jour-là, un jour, c'est alors que*.

Dans l'exemple, ce sont les mots **mais ce matin** qui introduisent l'élément déclencheur.

Lis le texte pour découvrir le problème du pirate Safran.

- Je lis un extrait de roman.
- J'utilise la stratégie *Lire entre les lignes*.

Le pirate Safran grelotte

Le pirate Safran est une véritable terreur des mers. Du sud au nord et de l'ouest à l'est. Ses ennemis tremblent simplement à entendre son nom. [...]

Mais aujourd'hui, Pirate Safran n'est plus que l'ombre de lui-même. Il n'a pas le goût de mener de grandes batailles ni de poursuivre un bateau ennemi. Pirate Safran grelotte.

S'il est habituellement bronzé, ce matin Safran a le teint pâlot. Il grelotte et tremble. Ses dents claquent comme les voiles de son navire lors d'une tempête. Et quand il éternue, tous les quais des océans tremblent. Le pirate Safran est grippé. Il a froid. Tellement froid.

« Mousses ! Bande de paresseux, crie le pirate Safran, qui n'a toutefois pas perdu sa légendaire mauvaise humeur. Ne voyez-vous pas que je suis mal en point ? J'ai froid, très froid, trop froid. Trouvez une solution à ce problème. Dans deux jours, nous menons une bataille terrible aux **escrocs** des mers dorées et il faut que je sois en pleine forme. »

escroc
Bandit.

Safran n'est jamais très gentil. [...] Alors, quand en plus il frissonne et semble vouloir se transformer en pirate-glaçon, il n'y a pas de quoi rire !

Panique sur le bateau ! L'équipage redoute la colère de Safran s'il ne réussit pas à vaincre les escrocs des mers dorées. [...]

Alors, les huit apprentis pirates décident d'attaquer le problème. Deux par deux, ils préparent des plans pour réchauffer Safran, qui souffre. Qui sait, ceux qui réussiront à soulager le pirate en chef auront peut-être la chance de dormir sur les hamacs plutôt que dans la cave humide. Plus une minute à perdre : Safran grelotte, éternue, mouche, re-grelotte, se plaint et re-re-grelotte.

Une bouillotte sur la caboche, Safran se couche dans son hamac de luxe. Il frissonne toujours. « Activez-vous avant que je me transforme en glaçon, bande de mauvais garçons ! Les poils de mes bras se dressent. Je ressemble à un porc-épic et pourtant je suis un pirate ter-ri-ble ! » grogne l'impatient pirate.

Pourquoi Safran dit-il qu'il ressemble à un porc-épic ?

Un premier duo de mousses s'approche timidement de Safran, qui s'est assoupi.

— Voilà, Safran ! Nous avons rassemblé toutes les peaux des bêtes effrayantes trouvées à la cave, dit Cumin.

— Elles sont un peu humides, s'empresse d'ajouter Carvi, mais une heure ou deux au soleil et elles seront extrêmement chaudes.

— Nous avons même mis la main sur les bottes en poils de mammouth blanc héritées de votre arrière-grand-père, le pirate Camomille, et sa tuque à huit pompons, ses mitaines miraculeuses et son foulard long d'un kilomètre en poils de bélier sauvage, enchaîne Cumin pour convaincre Safran.

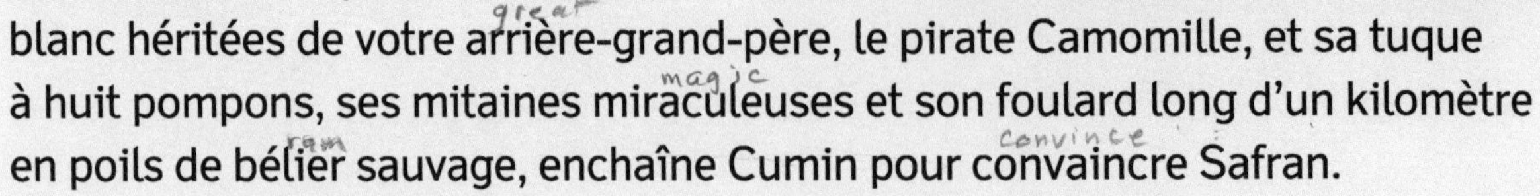

Safran ouvre un œil, puis l'autre. Ses yeux fusillent les deux mousses.

— J'ai l'air d'un mammouth ? J'ai l'air d'un bélier sauvage ? rugit-il, comme un lion enragé. J'ai l'air de partir en expédition pour chasser un monstre des neiges du Nord-Nord ? Je suis un pirate qui grelotte ! Je suis un pirate terrible et terrifiant qui ne portera pas ces **accoutrements** !

accoutrement
Vêtement ridicule.

Nadine DESCHENEAUX, *Le pirate Safran grelotte*, Montréal, © Boomerang Éditeur Jeunesse, 2007, p. 5-12.

1 Entoure, à la page 73, la phrase du texte qui indique le lieu où se déroule l'histoire.

2 Lequel des énoncés ci-dessous correspond à l'élément déclencheur (sets off) de l'histoire ? Trace un X devant la bonne réponse.

① [ ] Le pirate Safran fait peur aux gens.

② [ ] Les apprentis pirates préparent des plans.

③ [X] Le pirate Safran est grippé et il a froid.

3 Dans le deuxième paragraphe du texte, souligne les mots qui introduisent l'élément déclencheur.

4 Écris :

- une caractéristique physique du pirate Safran ;
- deux aspects de sa personnalité.

Une caractéristique physique

Exemples de réponse : Il est habituellement bronzé.

Il a le teint pâlot. Il ressemble à un porc-épic.

Deux aspects de sa personnalité

Exemples de réponses :

1. Il est toujours de mauvaise humeur.

Il n'est pas très gentil.

2. Il est impatient. Il est terrible. Il est terrifiant.

5 Écris le nom des trois personnages qui prononcent des paroles dans le texte.

Safran, Cumin, Carvi.

6 Pourquoi Safran dit-il qu'il a l'air d'un porc-épic? Trace un X devant la bonne réponse.

① ☐ Il grelotte beaucoup.

② ☒ Il a les poils dressés sur les bras.

③ ☐ Il terrorise les gens.

7 a) Dessine les vêtements que le pirate Safran refuse de porter.

b) Écris le nom des vêtements sous chaque dessin.

1. Dessin de bottes en poils (fur) de mammouth blanc.

Des bottes en poils de mammouth blanc.

2. Dessin d'une tuque à huit pompons.

Une tuque à huit pompons.

3. Dessin de mitaines miraculeuses.

Des mitaines miraculeuses.

4. Dessin d'un long foulard en poils de bélier (ram)

Un long foulard en poils de bélier.

8 Aurais-tu aimé être un membre de l'équipage du pirate Safran? Explique ta réponse à l'aide du texte.

Exemples de réponse: Oui, car j'aimerais vivre sur un bateau.

Non, car le pirate Safran a mauvais caractère.

Grammaire

Le pronom 

Les pronoms de conjugaison

- Quand on conjugue un verbe, on utilise un **pronom de conjugaison**. On classe les pronoms selon leur personne et leur nombre.

Personne	Singulier		Pluriel	
1re pers.	**je**	rame	**nous**	ramons
2^{e} pers.	**tu**	rames	**vous**	ramez
3e pers.	**il / elle**	rame	**ils / elles**	rament

- Le pronom de conjugaison donne sa personne (1re, 2e ou 3e) et son nombre (singulier ou pluriel) au verbe.

Pron. → V.

Ex. : ***Nous*** *gliss**ons** rapidement sur l'eau.*
(1re pers. pl.) (1re pers. pl.)

1 Écris la personne et le nombre des pronoms de conjugaison en gras.

	Personne (1re, 2e ou 3e)	Nombre (s. ou pl.)
Ex. : **Je** lis les indications sur la carte.	1re	s.
a) **Nous** cherchons un trésor caché sur une île déserte.	1re	pl.
b) **Tu** creuses un trou avec une pelle.	2^{e}	s.
c) **Vous** touchez un objet caché à un mètre de profondeur.	2^{e}	pl.
d) **Il** découvre un énorme coffre fermé par un gros cadenas de métal.	3^{e}	s.
e) **Ils** découvrent des bijoux et des pièces d'or dans le coffre.	3^{e}	pl.

2 a) Dans le texte ci-dessous, entoure huit pronoms de conjugaison.

b) Souligne les verbes conjugués qui suivent ces pronoms.

Blabla, le perroquet du capitaine

— Couac! Couac!

— Blabla, je t'ordonne de venir ici! crie le capitaine en colère.

— Venir ici! Venir ici! répète Blabla.

— Il n'écoute jamais, ce perroquet, marmonne le pirate. Il va me rendre complètement fou.

Le capitaine dit à l'un de ses compagnons:

— Monsieur Thomas! Vous allez m'aider. Nous allons attraper ce paquet de plumes au plus vite.

— Vite! Vite! Vite! répète Blabla.

— Capitaine, vous devriez le laisser tranquille, conseille monsieur Thomas. Il s'amuse à vous mettre en colère, je crois.

— Oui! Oui! crie le perroquet.

3 a) Écris chaque pronom au bon endroit pour compléter les phrases.

~~je~~ • tu • il • nous • vous • elles

b) Trace une flèche qui va du pronom de conjugaison au verbe conjugué.

Ex.: Je répare les voiles du bateau après la tempête.

1. Tu utilises des planches de bois pour réparer le pont du bateau.
2. Nous lavons le pont à l'aide d'une éponge.
3. Vous clouez les planches des tonneaux en mauvais état.
4. Il pêche du poisson pour composer le repas du capitaine.
5. Elles attachent le cordage des filets.

Le pronom qui remplace un groupe du nom (GN)

Pour éviter les répétitions dans un texte, on peut remplacer un groupe du nom par un **pronom** comme *il, elle, ils, elles*, etc.

Ex. : *Les marins* (GN, m. pl.) *travaillent sur le bateau.* ***Ils*** (Pron., m. pl.) *ont des tâches à effectuer.*

4 Chaque pronom en gras dans le texte remplace un groupe du nom parmi les suivants.

① la capitaine ② les marins ③ le nouveau

Écris au-dessus de chaque pronom le numéro du groupe du nom qu'il remplace.

Le petit nouveau

La capitaine Badine réunit ses marins sur le pont. (Ex. : 1) **Elle** réclame le silence. Les marins sont curieux. (2) **Ils** arrêtent donc de faire du tapage. La capitaine annonce : « J'ai recruté un nouveau membre dans notre équipage. » La capitaine poursuit. (1) **Elle** décrit les dizaines de tâches du nouveau. « Comment pourra-t-(3) **il** accomplir toutes ces tâches ? se demandent les marins. (3) **Il** va sûrement démissionner », chuchotent-(2) **ils**. La capitaine les fait taire en disant : « Je vous présente Mille-Bras, la pieuvre. »

Écriture EXPRESS

Un pirate aperçoit une île à l'horizon. Il court avertir son capitaine. Imagine ce qu'ils pourraient se dire.

- Écris un court dialogue entre les deux personnages.
- Utilise les pronoms de conjugaison *je, tu* et *nous*.

► Révision, p. 125, nº 1.

Le présent de l'indicatif des verbes *avoir*, *être* et *aller* →

- Le présent indique qu'un fait, un événement ou une action a lieu au moment où on parle.
- Les verbes *avoir*, *être* et *aller* sont des verbes souvent utilisés. Il faut bien connaître leur conjugaison.

Verbe *avoir*		Verbe *être*		Verbe *aller*	
j'	ai	je	suis	je	vais
tu	as	tu	es	tu	vas
il / elle	a	il / elle	est	il / elle	va
nous	avons	nous	sommes	nous	allons
vous	avez	vous	êtes	vous	allez
ils / elles	ont	ils / elles	sont	ils / elles	vont

1 Écris le verbe *avoir* ou le verbe *être* au présent pour compléter les phrases.

Fiche descriptive

Nom : La capitaine Larousse

Aspect physique

Yeux : Ils __ont__ la couleur de l'océan.

Cheveux : Ils __sont__ roux.

Nez : Il __est__ court et étroit.

Âge : Elle __a__ environ 20 ans.

Phrases célèbres

« Je __suis__ une redoutable pirate ! »

« Vous __êtes__ chanceux, vous __avez__ la meilleure capitaine ! »

« Nous __avons__ le plus beau navire de l'océan. »

2 Dans chaque phrase, entoure le verbe au présent qui est bien orthographié.

a) Tu (a / as) la carte de l'île mystérieuse.

b) Vous (aller / allez) dans la mauvaise direction.

c) Il (va / vas) tout droit sur les rochers.

d) Il (as / a) les mains sur le gouvernail.

e) Il (es / est) sur le pont près du capitaine.

f) Tu (va / vas) à la barre pour conduire le bateau.

3 Écris au présent les verbes entre parenthèses.

Le 8 octobre 1569

Monsieur le comte de Vilainbourg,

J' ai (avoir) peur d'avoir de mauvaises nouvelles à vous annoncer. Vous êtes (être) au courant, nous sommes (être) à la poursuite du capitaine Lascar. Nous avons (avoir) de la difficulté à le rattraper. Il va (aller) vers le sud, et beaucoup plus vite que nous. Il a (avoir) un bateau solide muni d'énormes voiles. Il est (être) léger et rapide. Je suis (être) tout de même certain de le piéger.

Soyez sans crainte, vous avez (avoir) de bons marins sous vos ordres.

Nous allons (aller) en direction du port de Saint-Malo.

À très bientôt,

Officier Lagarde

► Révision, p. 125, nº 2.

• Je lis un récit.
• J'utilise la stratégie *Lire entre les lignes.*

Lis le texte pour découvrir ce qui arrive à Samy Moussaillon et à son père.

Je veux une jambe de bois !

— Papa, je veux une jambe de bois!

Igor le Balafré sursaute:

— Une jambe de bois? Mais qu'est-ce que c'est que cette idée Samy Moussaillon? Tu ne pourrais plus courir!

— Ça ne sert à rien de courir sur un bateau! Par contre, dans l'eau, une jambe de bois ça flotte! Et puis, quand on marche c'est super: ça fait un bruit d'enfer!

— Et pourquoi pas un œil de verre pendant que tu y es! Va dans ta chambre, j'ai un bateau à commander!

ruminer
Penser, réfléchir.

Dans sa chambre, Samy Mousaillon **rumine**: «Je veux une jambe de bois, je veux...»

Quand soudain, boum! Un coup de canon!

Samy se précipite sur le pont: des pirates viennent de sauter dans le bateau et s'emparent du trésor de son père! Ils repartent déjà sur leur navire! Vite! Samy court à leur poursuite. Il s'accroche à un cordage et se balance en avant, en arrière, en avant, en arrière... Hop, il saute sur le bateau ennemi et récupère le trésor des mains d'un pirate à jambe de bois qui n'a pas le temps de s'enfuir.

Quels indices montrent que le père de Samy est fier de son fils?

— Bravo Samy Moussaillon! applaudit Igor le Balafré. Tu es le plus grand des océans! Et tout ça sans jambe de bois!

— Oui, tu as raison papa, c'est bien d'avoir de vraies jambes.

Christelle HUET-GOMEZ, «Je veux une jambe de bois!», *24 histoires de pirates*, Montréal, © Boomerang Éditeur Jeunesse, 2010, p. 13-16.

1 Lequel des énoncés ci-dessous correspond à l'élément déclencheur du récit ? Trace un X devant la bonne réponse.

① ☐ Samy demande une jambe de bois à son père.

② ☒ Samy et son père entendent un coup de canon.

③ ☐ Samy reprend le trésor à l'ennemi.

2 À l'aide de quel mot l'auteure introduit-elle l'élément déclencheur ? Replace les lettres dans l'ordre pour former ce mot.

d	a	n	s	u	o	i

s o u d a i n

3 Où l'élément déclencheur survient-il ? Trace un X devant la bonne réponse.

① ☒ Sur le pont du bateau.

② ☐ Dans la chambre de Samy.

③ ☐ Sur le bateau ennemi.

4 Pourquoi Igor le Balafré envoie-t-il son fils dans sa chambre ?

Il a un bateau à commander.

5 Pourquoi Samy veut-il une jambe de bois ? Trace un X devant les bonnes réponses.

① ☒ Il veut flotter sur l'eau.

② ☐ Il veut ressembler à son père.

③ ☒ Il aime le bruit que fait une jambe de bois.

④ ☐ Il a mal à une jambe.

6 Qu'est-ce que les pirates ont volé à Igor le Balafré ?

Son trésor.

7 Igor le Balafré félicite son fils. Par quelle autre action lui montre-t-il sa fierté ?

Il applaudit.

Les règles de position

Le son «s»

- Entre deux voyelles, le ***s*** fait le son «z» au lieu du son «s». Pour que le ***s*** produise le son «s» entre deux voyelles, il faut doubler le ***s***.

  Ex.: *creuser, richesse*

- Le ***c*** est doux devant les voyelles ***e***, ***i*** et ***y***. Il fait alors le son «s». Pour que le ***c*** soit doux devant ***a***, ***o*** et ***u***, il faut écrire ***ç***.

  Ex.: *bracelet, suçon*

1 Trace un X sur les mots qui sont mal orthographiés.

a) garçon / garcon
b) pièce / pièçe
c) présieux / précieux
d) mousaillon / moussaillon
e) boussole / bousole
f) escalier / esscalier
g) vaisseau / vaiseau
h) forçe / force

La lettre *g*

- Le ***g*** est dur devant les consonnes et devant les voyelles ***a***, ***o*** et ***u***. Pour que le ***g*** soit doux devant ***a*** et ***o***, il faut écrire ***ge***.

  Ex.: ***g****outte, villa****ge****ois*

- Le ***g*** est doux devant les voyelles ***e***, ***i*** et ***y***. Pour que le ***g*** soit dur devant ces lettres, il faut écrire ***gu***.

  Ex.: *coura****g****e,* ***gu****etter*

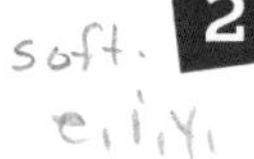
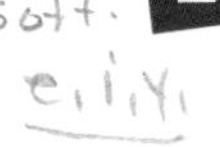

2 Écris ***g***, ***ge*** ou ***gu*** pour compléter les mots ci-dessous.

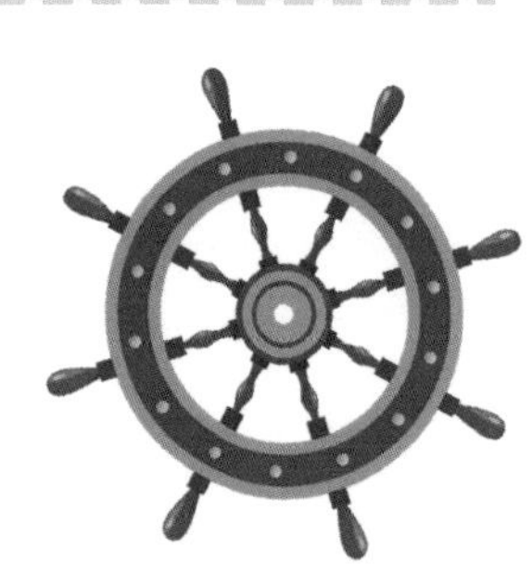

a) piè____e
b) navi____er
c) ____ouvernail
d) plon____on
e) lon____e-vue
f) na____oire
g) passa____e
h) ____arde
i) va____e

3 a) Écris ***g***, ***ge*** ou ***gu*** pour compléter les mots ci-dessous.

b) Relie chaque mot à la bonne boîte selon le son qu'il contient.

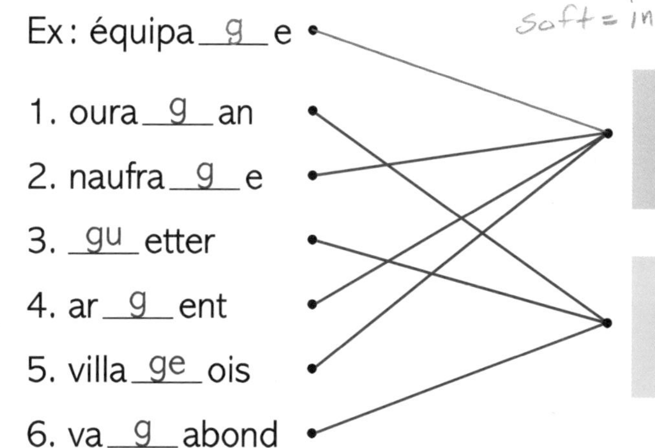

Ex : équipa __g__ e

soft = in front of a, o, u hard = in front of e i y

1. oura __g__ an
2. naufra __g__ e
3. __gu__ etter
4. ar __g__ ent
5. villa __ge__ ois
6. va __g__ abond

g doux
Ex. : *char**g**er, rechar**ge**able*

g dur
Ex. : *re**g**arde, ba**gu**e*

La lettre *m* devant *b*, *m* et *p*

On met la lettre ***m*** au lieu de la lettre ***n*** devant ***b***, ***m*** ou ***p***.

Ex. : *em<u>b</u>arquer, em<u>m</u>ener, com<u>p</u>as*

4 Écris ***m*** ou ***n*** pour compléter les mots.

a) a __n__ cre
b) gri __m__ per
c) co __m__ pagnon
d) ja __m__ be
e) lége __n__ de
f) mo __n__ de
g) te __m__ pête
h) diama __n__ t
i) réco __m__ pense
j) e __m__ mêler
k) re __m__ plir
l) me __m__ bre

Écriture EXPRESS

Le pirate Barbe-Brune se retrouve seul sur une île déserte.

- Écris cinq mots qui décrivent l'image. Ces mots doivent contenir le son « s » ou la lettre ***g***.
- Compose cinq phrases contenant ces mots.

► Révision, p. 125, nº 3.

Les familles de mots

Une famille de mots est un ensemble de mots formés à partir d'un même mot. Les mots d'une famille font penser à une même idée.

Ex. :

coffre → *coffrer*, *coffret*, *décoffrer*, *coffre-fort*

1 Chaque paire de mots ci-dessous est formée à partir du même mot. Souligne ce mot.

Ex. : rechercher / chercher

a) carte / carte postale

b) terre / enterrer

c) cadenas / cadenasser

d) richesse / riche

e) marchand / marchandise

f) bijou / bijoutier

g) trou / trouer

h) décourager / courage

2 Entoure les deux mots de même famille dans chaque série de mots.

a) barbe barbouiller barbichette

b) couler couleur écouler

c) promenade promener promesse

d) rame rameur ramener

e) réparer repartir réparation

f) voilier voiture voile

3 Regroupe les mots ci-dessous par famille de mots.
Écris ces mots dans les encadrés.

pirate • équiper • aventure • équipage • pirater
équipement • aventurier • piratage • mésaventure

a) pirate, pirater, piratage

b) équiper, équipage, équipement

c) aventure, aventurier, mésaventure

4 Relie les mots de même famille.

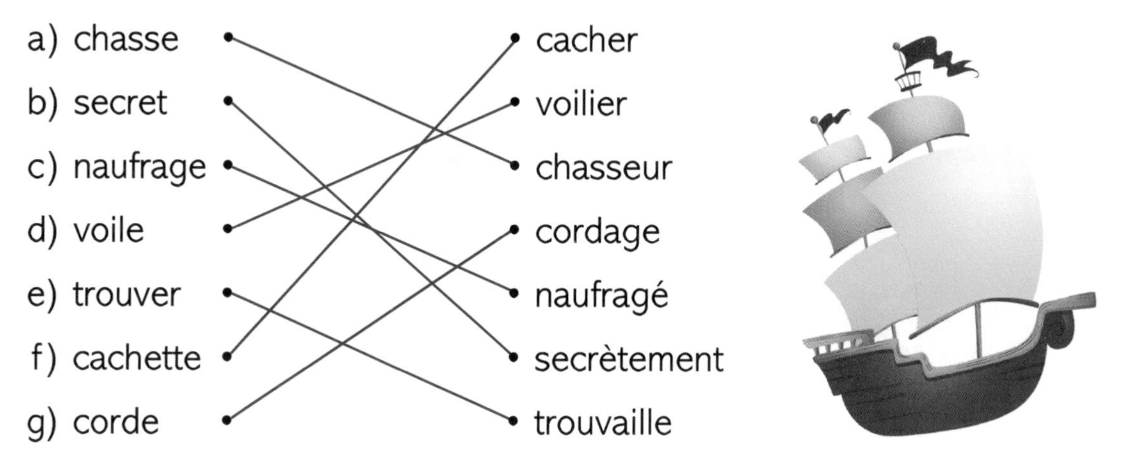

a) chasse •	• cacher
b) secret •	• voilier
c) naufrage •	• chasseur
d) voile •	• cordage
e) trouver •	• naufragé
f) cachette •	• secrètement
g) corde •	• trouvaille

5 Écris deux mots de la même famille que les mots ci-dessous.

a) commandant

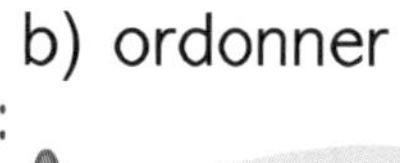

b) ordonner

Exemples de réponses :

a) commander, décommander

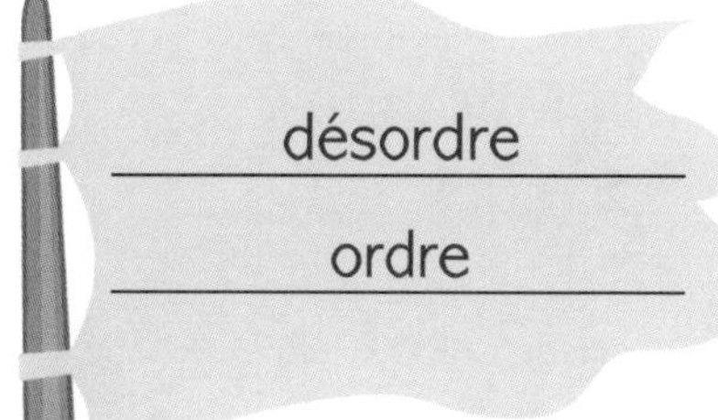

b) désordre, ordre

► Révision, p. 125, nº 4.

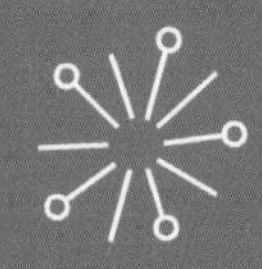

Devinette

Je suis un animal très coloré qui accompagne souvent les pirates.

Qui suis-je? Un perroquet.

Intrus, intrus, intrus...

Les mots ci-dessous désignent des choses semblables, sauf un. Trace un X sur ce mot.

- pont
- cale
- ~~aile~~
- mât

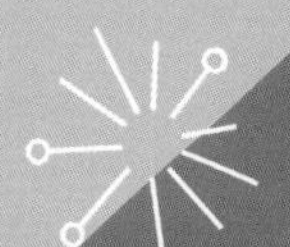

DiCO!

Qu'est-ce qu'une *cale*?

Endroit d'un navire situé

sous le pont.

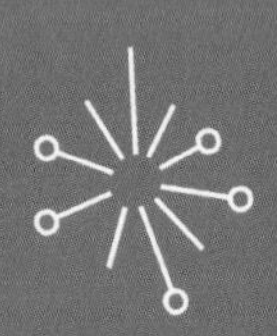

Pareils, pas pareils?

Écris *bâbord* et *tribord* dans la bonne phrase.

- Le mot bâbord désigne le côté gauche d'un bateau.
- Le mot tribord désigne le côté droit d'un bateau.

Rébus

Trouve le nom illustré par les images.

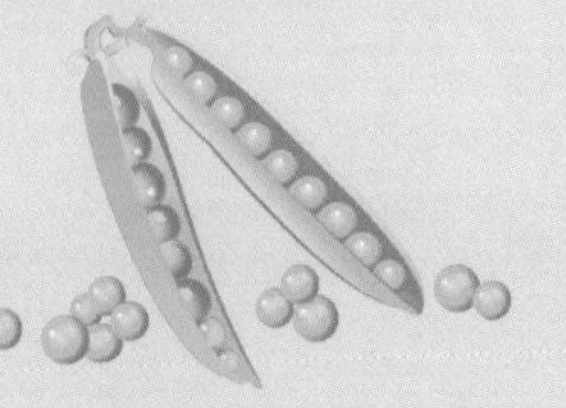

Un poisson.

Charivari

Replace les lettres dans l'ordre pour former un mot qui a rapport aux pirates.

r	r	é	o	t	s

t r é s o r

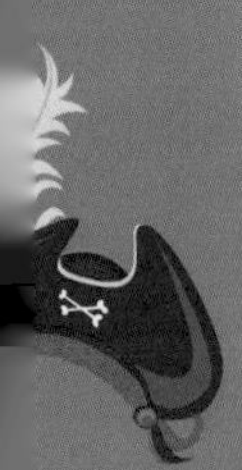

Lecture

Un texte informatif renseigne sur un sujet. Le sujet est ce dont on parle tout au long du texte.

Le sujet d'un texte 

Exemple

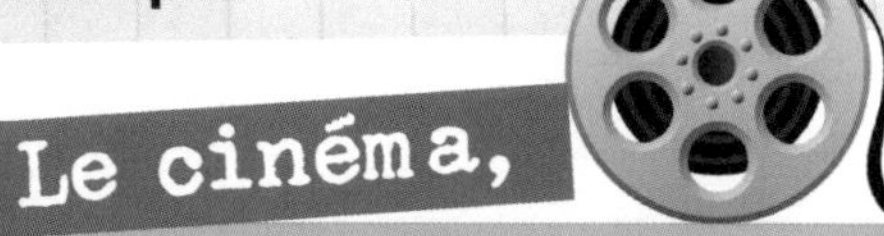

Aujourd'hui, il est impossible d'imaginer un film sans musique. **La musique d'un film** est parfois aussi importante que le film lui-même.

Autrefois, à l'époque du cinéma muet, un pianiste ou un orchestre était présent dans la salle et jouait pendant la projection du film. La musique couvrait le bruit de l'appareil qui projetait les images.

Puis, le cinéma a évolué. On a compris que la musique faisait vivre des émotions au spectateur. Par exemple, dans une scène où une nageuse est face à un énorme requin, le son des violons fera ressentir le danger au spectateur.

Le sujet d'un texte

Le sujet d'un texte répond à la question: De quoi parle-t-on dans ce texte? Souvent, le titre introduit clairement le sujet. Quand ce n'est pas le cas, il faut lire l'introduction.

Après avoir lu l'introduction de l'exemple, on comprend que le sujet du texte est **la musique de film**.

L'introduction

L'**introduction**, c'est le premier paragraphe du texte. L'introduction présente aux lecteurs le sujet du texte.

- Je lis un article de magazine.
- J'utilise la stratégie *Retenir l'essentiel*.

Lis les textes pour en apprendre davantage sur le cinéma.

Ⓘ

Il faut plus qu'une caméra et une bonne dose d'imagination pour faire du cinéma. Voici les grandes étapes à suivre pour faire un film.

On écrit d'abord le scénario, c'est-à-dire l'histoire du film. On écrit aussi les paroles et on décrit ce que font les personnages.

On illustre ensuite chaque scène à la manière d'une bande dessinée. Puis, une caméra enregistre chaque scène du film. Il s'agit du tournage. C'est à cette étape que les acteurs jouent leur scène et se font filmer par la caméra.

Ensuite, on passe à l'étape du montage. On monte les scènes dans l'ordre pour raconter l'histoire du film. C'est aussi à cette étape qu'on ajoute la musique et les effets spéciaux.

> Quelles sont les étapes de réalisation d'un film?

Silence, on tourne!

Le clap est un petit tableau noir dont les deux parties font «clap!» lorsqu'on les frappe ensemble. Mais à quoi peut-il bien servir?

> Le mot anglais *clap* est utilisé dans le milieu du cinéma. En français, *clap* veut dire «claquette».

On utilise le clap au début du tournage d'une scène. On y inscrit le titre du film, le nom du réalisateur, la date, le numéro de la scène et d'autres indications utiles. Ces renseignements sont filmés par la caméra. En même temps, ils sont lus à voix haute par la personne qui actionne le clap. Ils serviront au montage.

Action!

> Au cinéma, on dit «Silence, on tourne!» et «Action!» au début du tournage d'un plan.

3 DERRIÈRE LA CAMÉRA

À la fin d'un film, une série de noms défile à l'écran. C'est le générique. Il nomme tous ceux qui ont participé à la réalisation d'un film, et ils sont nombreux. Découvre certains des métiers du cinéma.

Les caméramans filment les scènes d'un film à l'aide d'une caméra. Ils suivent les indications du scénario pour filmer les plans. La caméra peut faire plusieurs mouvements et peut aussi filmer en différents plans. Par exemple, un gros plan ne montrera que la tête d'une actrice.

Les ingénieurs du son doivent enregistrer les paroles des acteurs et les bruits qu'ils veulent garder. Ils doivent en même temps supprimer les sons qui ne font pas partie du scénario. Par exemple, le bruit d'un avion qui passe au-dessus du plateau de tournage.

Les coiffeurs, les maquilleurs et les costumiers créent la coiffure, le maquillage et les costumes des acteurs. Ils s'assurent que leur choix respecte l'époque du film. On trouverait bizarre de voir une coiffure et un costume du futur dans un film des années 1900!

De quels métiers parle-t-on dans ce texte?

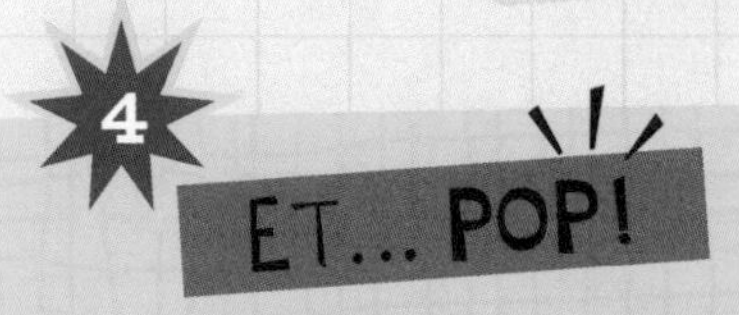

4 ET... POP!

T'es-tu déjà demandé comment un petit grain de maïs, sec et dur, devient la délicieuse friandise que tu savoures en regardant un bon film?

À l'intérieur d'un grain de maïs, il y a une petite quantité d'eau. Une fois chauffée, cette eau se transforme en vapeur d'eau. Quand tu souffles dans un ballon, l'air fait gonfler le ballon. Dans un grain de maïs, c'est la vapeur d'eau qui pousse sur l'enveloppe du grain et... POP! le fait éclater. C'est prêt! Bon cinéma!

5 DES MAQUILLAGES ÉTONNANTS

Qui conçoit le maquillage de personnages étranges? Les maquilleurs d'effets spéciaux, bien sûr.

Gordon Smith est un maquilleur canadien. C'est lui qui a créé les maquillages des films de science-fiction de la série *X-Men*. Il a appliqué des produits particuliers sur le corps des acteurs pour faire leurs maquillages. Cette méthode l'a rendu célèbre.

1 Tu viens de lire cinq textes. Le titre de deux de ces textes annonce clairement leur sujet. Écris le numéro de ces textes dans les étoiles.

2 Trace un X devant l'énoncé qui correspond au sujet de chaque texte.

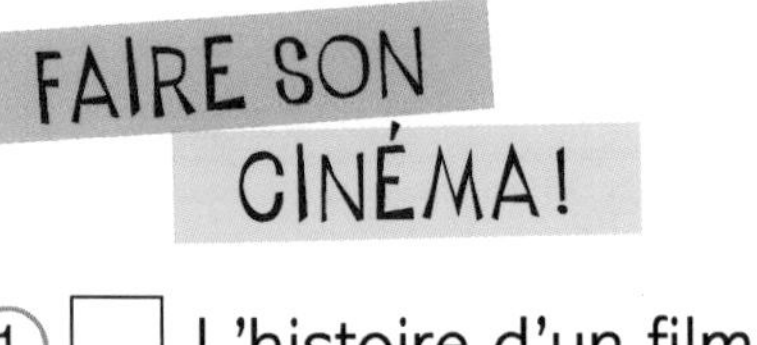

① [ ] L'histoire d'un film.
② [ ] Les personnages d'un film.
③ [X] Les étapes pour faire un film.

DERRIÈRE LA CAMÉRA

① [X] Les métiers du cinéma.
② [ ] Les coiffeurs et les costumiers.
③ [ ] Les ingénieurs du son.

ET... POP!

① [ ] La vapeur d'eau.
② [X] Le maïs soufflé.
③ [ ] L'air dans un ballon.

3 Trace un X dans la bonne case.

	Vrai	Faux
a) Un grain de maïs ne contient pas d'eau.		X
b) Gordon Smith a créé les maquillages pour des films de science-fiction.	X	
c) Le clap est aussi appelé «claquette».	X	

4 Mets en ordre les étapes pour faire un film. Numérote les phrases de 1 à 4.

a) [3] Tourner le film.

b) [1] Écrire l'histoire du film.

c) [4] Monter le film.

d) [2] Dessiner chaque scène du film.

5 Relie l'action au groupe qui doit l'effectuer.

a) Filmer les scènes. • — • Les caméramans.

b) Supprimer les sons qui ne font pas partie du scénario. • — • Les ingénieurs du son.

c) Respecter l'époque du film. • — • Les coiffeurs.

d) Enregistrer les paroles des acteurs. • — • Les ingénieurs du son.

6 Écris les mots *clap*, *générique*, *montage* et *scénario* pour compléter les phrases suivantes.

a) Le clap est un petit tableau noir où on note des renseignements qui servent au montage.

b) Le scénario est l'histoire d'un film.

c) Le montage est l'étape qui sert à mettre en ordre les scènes d'un film.

d) Le générique présente le nom de ceux qui ont participé à la réalisation d'un film.

7 Écris dans l'étoile le numéro du texte que tu as le plus aimé. Explique ensuite ta réponse à l'aide du texte.

Exemple de réponse : J'ai aimé l'article sur le maïs soufflé, car j'aime apprendre de nouvelles choses.

La phrase

- La phrase est une suite de mots ordonnée qui a du sens. Elle commence par une majuscule et se termine par un point.
- La plupart des phrases contiennent au moins un **verbe conjugué**.
  Ex. : *Malika* ***regarde*** *un film d'aventures.*
- Certaines phrases contiennent plus d'un verbe conjugué. Dans ces phrases, il y a souvent un mot comme *et*, *ou*, *car*, *lorsque*, *mais*, *parce que*, *si*, etc.
  Ex. : *Les gens* ***arrêtent*** *de parler lorsque le film* ***commence****.*

1 a) Écris les groupes de mots ci-dessous dans le bon ordre pour former des phrases.

b) Ajoute une majuscule au début de chaque phrase et un point à la fin.

Ex. : passe | ce matin | Roxanne | une audition

Roxanne passe une audition ce matin.

Exemples de réponses :

1. distribue | la réalisatrice | aujourd'hui | les rôles

La réalisatrice distribue les rôles aujourd'hui.

2. dans la salle | attendent | les acteurs | leur tour

Les acteurs attendent leur tour dans la salle.

3. leur texte | plusieurs personnes | répètent

Plusieurs personnes répètent leur texte.

4. ses notes | elle | après les auditions | consulte

Elle consulte ses notes après les auditions.

2 a) Entoure 14 verbes conjugués dans les phrases ci-dessous.

Le verbe conjugué peut être utilisé avec les mots *ne... pas* ou *n'... pas.*
Ex.: Il tourne un film.
→ Il **ne** tourne **pas** un film.

Un cambriolage raté

Dans le film *Un cambriolage raté*, nous retrouvons notre célèbre amie, la souris Pattes de velours.

Depuis trois jours, le musée Camembert expose un tableau d'une grande valeur. Comme Patte de velours est une vraie voleuse, elle a envie de tenter sa chance. Elle prépare un plan pour voler le tableau.

Le détective Minetti la surveille jour et nuit, car il devine ses intentions. Patte de velours est rusée, mais elle ne redoute pas assez Minetti. À sa grande surprise, il réussit à la piéger. Le détective Minetti est fier de lui.

Encore une fois, la célèbre voleuse finit derrière les barreaux. La prochaine fois, Minetti ne l'arrêtera pas. La souris en est certaine.

b) Souligne les phrases qui contiennent deux verbes conjugués.

Écriture EXPRESS

L'école reçoit un ou une artiste du cinéma.

- Rédige un carton d'invitation pour inviter les gens à faire sa rencontre.
- Écris des phrases bien construites.
- Souligne les verbes conjugués dans tes phrases.

► Révision, p. 126, nº 5.

L'imparfait de l'indicatif des verbes comme *aimer* et *finir* →

- L'imparfait sert à situer un fait, un événement ou une action dans le passé.
- Les verbes *aimer* et *finir* servent de modèles pour la conjugaison de milliers de verbes. À l'imparfait, les verbes ont les mêmes terminaisons.

Verbe *aimer*		Verbe *finir*	
j'	aim**ais**	je	finiss**ais**
tu	aim**ais**	tu	finiss**ais**
il / elle	aim**ait**	il / elle	finiss**ait**
nous	aim**ions**	nous	finiss**ions**
vous	aim**iez**	vous	finiss**iez**
ils / elles	aim**aient**	ils / elles	finiss**aient**

1 Entoure la terminaison de chaque verbe à l'imparfait.

Ex. : je maquillais

a) il / elle tournait
b) nous écoutions
c) ils / elles fournissaient
d) vous ajoutiez
e) tu avertissais
f) vous jouiez

Les verbes en *-er* comme *aimer* et les verbes en *-ir* comme *finir* ont les mêmes terminaisons à l'imparfait.

2 Entoure la bonne terminaison pour écrire correctement chaque verbe à l'imparfait.

Ex. : Nous tourn (ons / ions / ont) un film policier.

a) Je m'occup (ais / ait / aient) du maquillage avant le tournage.
b) Il réalis (ais / ait / aient) des cascades à couper le souffle.
c) Vous veill (er / ez / iez) à la sécurité sur le plateau.
d) Elle film (ais / ait / erait) la scène à l'aide d'une petite caméra.
e) Tu compos (ais / ait / erais) la musique du film.
f) Nous choisiss (ons / ions / ont) les meilleures scènes.

3 a) Écris à l'imparfait chaque verbe entre parenthèses.

b) Entoure la terminaison de chaque verbe.

	Verbe en *-er* comme *aimer*	Verbe en *-ir* comme *finir*
Ex. : tu	jouais (jouer)	divertissais (divertir)
1. il / elle	parlait (parler)	éblouissait (éblouir)
2. nous	mimions (mimer)	réagissions (réagir)
3. ils / elles	tournaient (tourner)	remplissaient (remplir)
4. je	montais (monter)	choisissais (choisir)
5. vous	regardiez (regarder)	applaudissiez (applaudir)

4 Écris les verbes à l'imparfait pour compléter les phrases.

Entrevue de Mia Laforce

Cinoche : Avez-vous aimé jouer dans le film *Zorra* ?

Mia Laforce : J'ai adoré jouer le rôle de la fille masquée. Durant les journées de tournage, j'oubliais (oublier) parfois ma réelle identité. Grâce à mes pouvoirs surnaturels, je repoussais (repousser) les méchants et je sauvais (sauver) la planète.

Cinoche : Est-ce que vous réalisiez (réaliser) un grand rêve ?

Mia Laforce : Oui, je rêvais (rêver) de ce moment depuis longtemps.

Cinoche : Avez-vous vécu des moments difficiles durant le tournage ?

Mia Laforce : Il arrivait (arriver) souvent que je m'ennuie de mes enfants. Heureusement, ils pensaient (penser) à me téléphoner tous les soirs avant d'aller dormir.

Cinoche : Ils doivent être fiers de leur maman. Merci, Mia.

► Révision, p. 126, nos 6 et 7.

Lecture EXPRESS

- Je lis un article de magazine.
- J'utilise la stratégie *Retenir l'essentiel.*

Lis les textes pour en apprendre davantage sur différents aspects du cinéma.

Au-delà de l'image (I)

LES RISQUES D'UN MÉTIER

Un travail qui consiste à se bagarrer ou à se jeter du haut d'un deuxième étage, crois-tu que ça existe ? Eh oui, c'est ce que font les cascadeurs.

Les cascadeurs remplacent les acteurs au cours du tournage de certaines scènes de films. Souvent, ces scènes demandent une habileté précise, comme piloter un véhicule de course. Ou encore, elles comportent un risque de blessure, comme un dérapage à moto. C'est un métier difficile qui demande d'être en excellente forme physique. Il faut bien se préparer pour réussir à faire une cascade sans se blesser.

Quelles habiletés les cascadeurs doivent-ils avoir ?

L'animation par ordinateur risque de transformer ce métier. Si les créateurs d'effets spéciaux arrivent à produire des cascades réalistes, les cascadeurs auront-ils toujours une place sur les plateaux de tournage ?

CINÉMA D'ANIMATION, CINÉMA D'ILLUSION

Les personnages d'un film d'animation sautent, envoient la main, rigolent et courent. Pourtant, ce ne sont que des dessins. Comment des dessins peuvent-ils bouger ? C'est la magie du cinéma d'animation !

Les dessins animés sont une série de dessins différents qu'on a filmés, un à la fois. C'est le fait qu'on te montre une douzaine de ces dessins en une seconde qui donne l'illusion du mouvement.

De plus en plus, l'animation se fait par ordinateur. Dans certains cas, des dessins faits à la main sont coloriés sur ordinateur. Dans d'autres cas, les dessins sont réalisés directement sur l'écran. En général, il faut plus de 40 000 dessins pour offrir une heure d'animation !

1 a) Entoure l'introduction de chaque texte à la page 98.

b) Écris le sujet dont traite chaque texte dans le tableau suivant.

Titre des textes	Sujet des textes
Les risques d'un métier	Le métier de cascadeur.
Cinéma d'animation, cinéma d'illusion	Le cinéma d'animation.

2 Pourquoi le métier de cascadeur existe-t-il?

Les cascadeurs remplacent des acteurs au cours du tournage de certaines scènes de films.

3 Trace un X devant les habiletés des cascadeurs mentionnées dans le texte.

① ☐ Avoir le souci du détail.

② ☒ Être en excellente forme physique.

③ ☒ Savoir piloter une voiture ou une moto.

④ ☐ Avoir une bonne mémoire.

4 Écris trois exemples de cascades mentionnées dans le texte.

1. Exemples de réponses: Se bagarrer. Se jeter du deuxième étage.
2. Piloter un véhicule de course. Faire un dérapage à moto.
3.

5 Trace un X dans la bonne case.

	Vrai	Faux
a) On peut colorier des dessins sur ordinateur.	X	
b) Dans un dessin animé, il y a environ 40 000 dessins en une seconde.		X
c) Pour réaliser un dessin animé, on filme des personnes qui bougent.		X

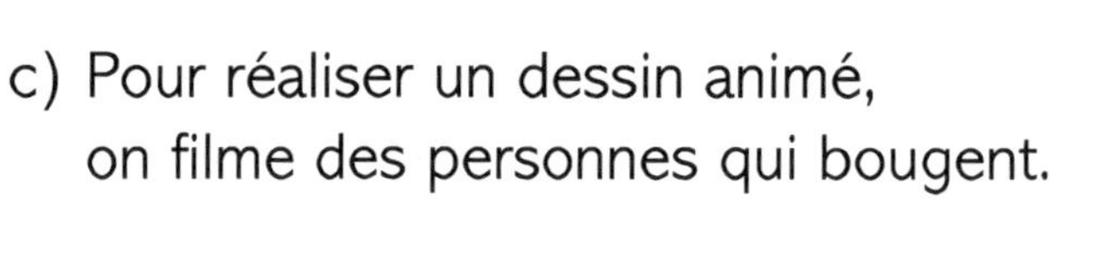

Réalise une affiche

C'est le grand festival du cinéma! Une occasion parfaite pour échanger entre élèves sur ses coups de cœur et sur les personnages qui font rire ou frémir!

Réalise une affiche dans laquelle tu présenteras un de tes coups de cœur au cinéma.

OPTION 1

Présente ton film préféré. Écris son titre et un résumé.

Tu peux aussi écrire d'autres détails intéressants comme son genre et le nom des acteurs qui y jouent.

Ex.: Zorra est un film de science-fiction qui met en vedette l'excellente Mia Laforce. Les amateurs de science-fiction adoreront ce film.

OPTION 2

Présente ton personnage préféré. Écris son nom et donnes-en une courte description physique.

Tu peux aussi écrire d'autres détails intéressants comme le titre des films dans lesquels il a joué, ses goûts, ses caractéristiques.

Ex.: Mia Laforce, la fille masquée, a des pouvoirs surnaturels. Elle est courageuse et timide, et elle aime voyager.

Étape 1 • Planifie ton texte

Réponse personnelle.

1. Je réalise une affiche pour présenter: ☐ un film. ☐ un personnage.
2. Cette affiche s'adressera à: Réponse personnelle.
3. Je dois écrire pour: ☒ informer. ☐ raconter. ☐ expliquer.

Étape 2 • Note quelques idées Réponses personnelles.

4. Écris des mots que tu utiliseras pour présenter ton film ou ton personnage.

Film ou personnage

____

Résumé du film ou description du personnage

____

____

____

Autres détails

Étape 3 • Écris ton texte Réponse personnelle.

5. Écris le brouillon du texte de ton affiche, puis corrige-le à l'aide de ton aide-mémoire.

6. Réalise ton affiche.

Enrichis tes phrases en ajoutant des adjectifs.
Ex.: *excellent, bizarre, terrifiant, amusant, étonnant, mystérieux, touchant,* etc.

ÉLÉMENTS clés

Éléments à ne pas oublier pour réussir ton affiche :

- un titre qui annonce le sujet ;
- un dessin qui illustre le message ;
- un message facile à comprendre ;
- des phrases courtes ;
- une mise en pages amusante et colorée ;

La Bande des quatre aime le cinéma

Lis le texte pour connaître les films dont discute la Bande des quatre.

La Bande des quatre réunit quatre amis qui adorent le cinéma. Chaque semaine, ils se rendent au cinéma de leur quartier pour visionner un film. Ensuite, autour d'un bon chocolat chaud, ils discutent de certains détails des films qu'ils ont vus, et de ce qu'ils ont aimé et moins aimé. Aujourd'hui, chaque membre parle de son film préféré.

Relie chaque membre de la Bande au billet de cinéma du film qu'il a préféré.

J'ai adoré ce film! Les trois amis qui jouent des tours aux gens de leur quartier sont vraiment drôles!

Quelles images magnifiques! Ce film m'a donné envie de faire de la plongée sous-marine et d'explorer la faune marine. Un jour, je pourrais bien découvrir une épave!

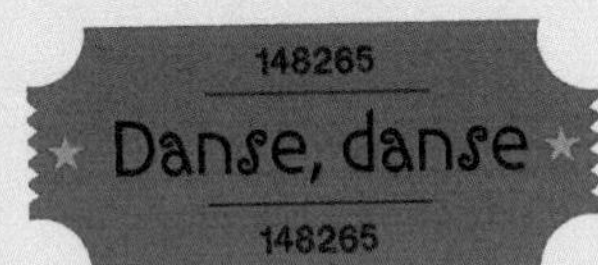

Sous l'océan

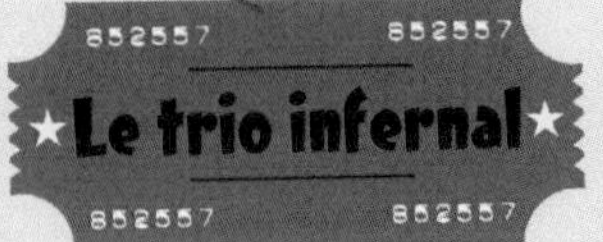

Trois voleurs à quatre pattes

Pendant ce film, j'avais de la difficulté à rester assise. J'avais envie de me lever, de claquer des doigts et de taper du pied! C'est mon film préféré!

J'adore ce genre de film! Ces trois petites bêtes étaient tellement mignonnes. J'aurais voulu les adopter sur le champ!

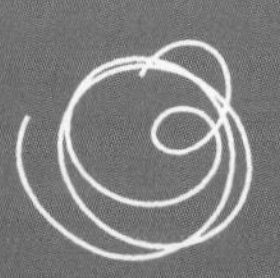

Lecture

Dans une histoire, il y a toujours un ou plusieurs personnages. Le personnage le plus important de l'histoire est le personnage principal. Ses actions font avancer l'histoire.

Les actions du personnage principal 

Exemple

Au pôle Nord, c'est la panique!

Mère Noël est inquiète, car un renne est malade. Et Père Noël part dans moins d'une heure pour faire sa tournée!

Mère Noël **prépare et fait boire au renne une boisson chaude**. Quelques minutes plus tard, le renne reprend des couleurs. Mais son petit nez reste rouge.

Mère Noël est contente de voir son petit renne au nez rouge conduire fièrement le traîneau de Père Noël.

Le personnage principal

Le plus souvent, c'est au début de l'histoire que l'auteur présente le personnage le plus important, c'est-à-dire le personnage principal.

Dans l'exemple, le personnage principal est **Mère Noël**.

Les actions du personnage principal

Dans une histoire, le personnage principal doit souvent régler un problème. Pour y arriver, il accomplit des actions. Ces actions font avancer l'histoire.

Dans l'exemple, Mère Noël a un problème: un des rennes est malade. Pour le guérir, elle **prépare et fait boire au renne une boisson chaude**.

- Je lis un extrait de roman.
- J'utilise la stratégie *Comprendre les signes de ponctuation*.

Lis le texte pour savoir ce que le père Noël et son lutin en chef ont commandé.

L'ordi du père Noël

Le père Noël et Hubert, le lutin en chef du pôle Nord, sont bien énervés. Une très grosse boîte vient d'arriver au bureau de poste du village. Plusieurs étiquettes «FRAGILE» sont collées dessus.

— Oh! hisse! Oh! hisse!

Tous les lutins ont quitté leur travail pour venir voir ce que contient la mystérieuse boîte. Mais Hubert n'a pas l'intention de leur dire quoi que ce soit. Il le sait, lui, ce que contient le colis. C'est un secret qu'il partage avec le père Noël.

complice
Camarade.

À quoi servent les virgules en bleu?

Une fois la boîte chez lui, le lutin ferme la porte et tire tous les rideaux. Les deux **complices** peuvent enfin déballer leur trésor. Délicatement, Hubert écarte les papiers d'emballage. Il découvre une boîte grise, longue et étroite, avec des boutons et des fentes. Il trouve aussi un écran, un clavier avec plein de lettres et de chiffres ainsi qu'une imprimante.

Le kit complet!

L'ordi du père Noël.

Le père Noël est un peu déçu. Il s'attendait à quelque chose de bien plus joli que cette boîte grise, mais il ne le dira pas à Hubert... Le lutin est très heureux.

— Cette machine va nous simplifier grandement la vie! s'exclame celui-ci.

Ça n'a pas été facile de décider le père Noël, mais les raisons d'Hubert étaient convaincantes. Avec cet ordi, impossible de perdre ses listes de noms. De plus, grâce à l'Internet, le père Noël pourra communiquer directement avec les enfants, recevoir leurs messages et y répondre. Le progrès est enfin arrivé au pôle Nord!

Hubert **soupire**… d'énervement. L'ordi tout neuf attend sagement sur sa table. Il ne lui reste plus qu'à apprendre à s'en servir.

soupirer
Respirer fort.

Trois jours plus tard, Hubert est toujours enfermé chez lui. Il a mal à la tête à force d'étudier le gros manuel d'instructions qui accompagne l'ordi. Il en perd le goût de manger et de boire. Il ne parvient plus à dormir. Il a bien réussi à brancher la machine… Tout le monde peut faire ça. Mais pour le reste, zéro!

Découragé, le lutin se frotte les yeux. Comment ça marche, ce truc?

À quoi sert le point d'interrogation en bleu?

En cachette, il se rend chez le père Noël pour lui expliquer la situation.

— Père Noël, je n'y comprends rien. Je ne sais pas comment fonctionne cette machine.

Le bon vieillard se met à rire.

— C'est bien normal, mon cher Hubert. Personne ici n'a jamais vu un ordinateur. Il faut trouver quelqu'un pour t'aider. Téléphone dans le sud et fais venir un technicien qui va t'enseigner à te servir de cet appareil.

Un technicien! C'est une super idée. Il est fort, le père Noël, quand même!

Une semaine plus tard, le traîneau postal s'arrête sur la banquise.

emmitouflé
Vêtu chaudement.

Le conducteur dépose sur la glace une petite silhouette tout **emmitouflée**. Hubert se précipite pour accueillir l'inconnu qui vient de si loin pour l'aider.

— Bienvenue au pôle Nord! Vous avez fait bon voyage?

Un magnifique sourire lui répond.

L'inconnu abaisse son capuchon et des boucles blondes se répandent autour de son visage. Surprise! C'est une fille.

— Salut! Je m'appelle Karen.

Hubert est très étonné. Cette technicienne, c'est la plus jolie lutine qu'on n'ait jamais vue au pôle Nord.

Les machines, Karen les connaît comme sa poche. En moins d'une heure, l'imprimante, le clavier et l'écran sont branchés sur l'ordi. Et le village est connecté à l'Internet par satellite.

Émerveillé, Hubert appuie sur une touche. Son écran s'allume sur un magnifique paysage d'automne rouge et jaune... Quelque chose de complètement impossible au pôle Nord!

Mais ce n'est plus le temps de rigoler. Le chef des lutins doit maintenant apprendre à se servir de son nouvel appareil. La tournée du père Noël a lieu dans moins de deux mois... Hubert doit prouver à tout le village qu'il n'a pas fait faire un achat inutile au bon vieillard.

Angèle DELAUNOIS, *L'ordi du père Noël*, Montréal, Bayard Jeunesse, 2010, p. 3-14.

1 Qui est le personnage principal de l'histoire que tu viens de lire? Entoure la bonne réponse.

①  ②  ③ 

2 a) Quel est le problème du lutin Hubert?

Il n'arrive pas à faire fonctionner l'ordinateur.

b) Quelle solution le père Noël lui propose-t-il?

Il lui propose de faire venir un technicien du sud.

3 Relie chaque action au bon personnage.

a) Étudier le manuel d'instructions de l'ordinateur.

b) Suggérer à Hubert d'appeler un technicien.

c) Enlever les papiers d'emballage.

d) Accueillir l'inconnu.

e) Connecter l'ordinateur à l'Internet.

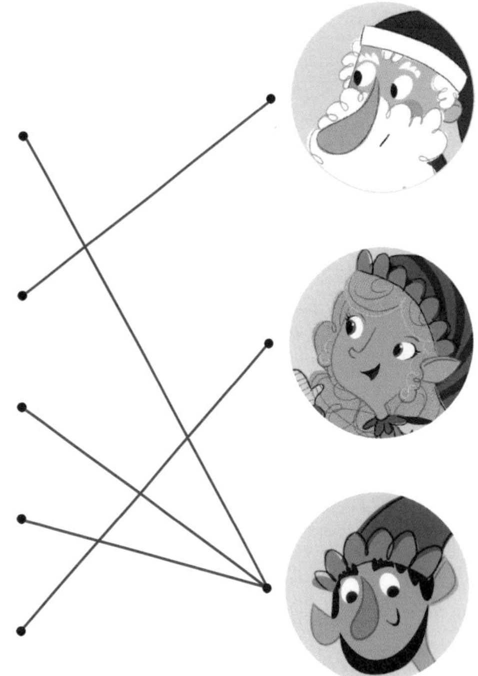

4 Écris trois caractéristiques de Karen, la lutine. Exemples de réponses:

1. Elle a une petite silhouette. Elle est vêtue chaudement.
2. Elle a un magnifique sourire. Elle a des boucles blondes.
3. C'est la plus jolie lutine du pôle Nord. Elle connaît les ordinateurs comme sa poche.

5 Lis la phrase ci-dessous tirée du texte. À quoi servent les virgules dans cette phrase ? Entoure la bonne réponse.

> En moins d'une heure, l'imprimante, le clavier et l'écran sont branchés sur l'ordi.

① Elles servent à énumérer les actions du personnage.

② (Elles servent à énumérer les parties de l'ordinateur.)

③ Elles servent à énumérer les étapes d'une marche à suivre.

6 Lis la phrase ci-dessous tirée du texte. Qui prononce ces paroles ?

> Cette machine va nous simplifier grandement la vie !

Hubert, le lutin.

7 Trouve dans le texte six mots qui décrivent l'ordinateur.
Écris-les. Exemples de réponses :

1. appareil, boîte grise,
2. écran, clavier,
3. imprimante, Internet,
4. machine, bouton,
5. fentes,
6. touche.

8 a) Connais-tu quelqu'un qui a eu le même problème qu'Hubert le lutin ? Trace un X devant ta réponse.

① ☐ Oui. ② ☐ Non.

b) Explique ta réponse.

Exemples de réponse : Oui, mon père a déjà eu des problèmes avec son ordinateur portable, comme Hubert, le lutin. Non, mon grand frère sait faire fonctionner les ordinateurs comme Karen, la lutine.

Grammaire

Le sujet

Le sujet indique de qui ou de quoi on parle dans la phrase. Il est souvent placé avant le verbe conjugué.

Le pronom sujet

Le sujet peut être un pronom de conjugaison comme *je*, *tu*, *il / elle*, *nous*, *vous*, *ils / elles*.

Ex. : *Ils profitent* (V.) *des vacances d'hiver.*

1 Souligne le pronom sujet dans chaque phrase.

a) Je marche dans les rues du village.

b) Il décore la porte de sa boutique.

c) Nous installons un grand sapin au milieu de la place.

d) Elle porte une tuque, un foulard et des mitaines.

e) Tu chantes des chansons avec tes amis.

f) Vous aimez les fêtes dans le village.

g) Nous passons des moments agréables.

2 a) Souligne le pronom sujet dans chaque phrase.

b) Entoure le verbe conjugué qui suit le pronom.

Ex. : Pour le repas, nous (préparons) des biscuits en pain d'épice.

1. Pour ne pas faire d'erreurs, vous (révisez) la recette.
2. Dans un grand bol, elle (ajoute) les ingrédients un à un.
3. Selon la recette, tu (allumes) le four à la bonne température.
4. Je (dépose) doucement les biscuits sur une plaque.
5. Après une trentaine de minutes, ils (grillent) lentement.
6. Pour terminer, nous (décorons) les biscuits.

Le groupe du nom sujet

- Le sujet peut être un groupe du nom. On peut alors le remplacer par un pronom.

  Ex. : La neige (GN) tombe (V.) en gros flocons. ➜ Elle (Pron.) tombe (V.) en gros flocons.

- Pour trouver le sujet, on peut l'encadrer par les mots ***c'est… qui*** ou ***ce sont… qui***.

  Ex. : *Les enfants jouent dehors.* ➜ ***Ce sont*** *les enfants* ***qui*** *jouent dehors.*

3 Récris chaque phrase en remplaçant le groupe du nom sujet en gras par un des pronoms suivants : *il*, *elle*, *ils*, *elles*.

Ex. : **Rosalie** plie sa feuille en quatre.

Elle plie sa feuille en quatre.

a) **Les enfants** découpent des dessins dans le papier.

Ils découpent des dessins dans le papier.

b) **Azim** accroche les flocons de papier au plafond.

Il accroche les flocons de papier au plafond.

c) **Les décorations** tournent dans les airs.

Elles tournent dans les airs.

4 Récris chaque phrase en encadrant le sujet en gras par *c'est… qui* ou *ce sont… qui*.

Ex. : **Les animaux** organisent une fête dans la jungle.

Ce sont les animaux qui organisent une fête dans la jungle.

a) **Crocodoux** adore les boules colorées.

C'est Crocodoux qui adore les boules colorées.

b) **Les oiseaux** décorent les palmiers.

Ce sont les oiseaux qui décorent les palmiers.

c) **Le serpent** attache une cloche à sa queue.

C'est le serpent qui attache une cloche à sa queue.

5 Souligne le sujet devant chaque verbe en gras dans les phrases du texte.

Clic!

Guillaume **ferme** la lumière du magasin.

Il **barre** ensuite la porte derrière lui.

Le magasin **est** silencieux.

Les jouets **se réveillent** lentement.

Ils **ont** la nuit devant eux pour s'amuser.

Les poupées **branchent** le lecteur de musique.

Elles **invitent** les robots à danser.

Les cow-boys **grimpent** sur le dos des dinosaures.

Les soldats **montent** sur le dos des dragons.

Ils **préparent** une grande bataille.

Les superhéros **organisent** une course automobile à travers le magasin.

Un singe **joue** à la balle avec un chien électronique.

Les jouets **s'amusent** jusqu'au petit matin.

Guillaume **rentre** au magasin à 9 h.

Il **ouvre** la porte en souriant.

Les jouets **sont** toujours là à l'attendre sagement...

Écriture EXPRESS

Père Noël souhaite partir en vacances avec Mère Noël. Propose-lui un endroit.

- Écris quelques phrases pour lui expliquer ton choix.
- Souligne le sujet dans chacune de tes phrases.

► Révision, p. 127, nº 8.

L'imparfait de l'indicatif des verbes *avoir*, *être* et *aller*

- L'imparfait sert à situer un fait, un événement ou une action dans le passé.
- Les verbes *avoir*, *être* et *aller* ont les mêmes terminaisons que les autres verbes à l'imparfait.

Verbe *avoir*		Verbe *être*		Verbe *aller*	
j'	av**ais**	j'	ét**ais**	j'	all**ais**
tu	av**ais**	tu	ét**ais**	tu	all**ais**
il / elle	av**ait**	il / elle	ét**ait**	il / elle	all**ait**
nous	av**ions**	nous	ét**ions**	nous	all**ions**
vous	av**iez**	vous	ét**iez**	vous	all**iez**
ils / elles	av**aient**	ils / elles	ét**aient**	ils / elles	all**aient**

1 Dans chaque phrase, entoure le verbe entre parenthèses qui est bien orthographié.

a) En attente d'une lettre, Abdou (allait / allais) à la poste tous les jours.

b) Le garçon (étais / était) de plus en plus impatient.

c) Le père Noël (avais / avait) un paquet très spécial à lui livrer.

d) La boîte (était / étais) beaucoup trop grosse pour le traîneau.

e) Les lutins (était / étaient) drôlement embêtés.

f) Ils (avait / avaient) une solution pour chaque problème.

g) Le chariot (était / étaient) l'outil parfait pour soulever l'énorme boîte.

h) Ses parents (avait / avaient) hâte de voir le contenu de la boîte.

i) La boîte (était / étaient) bleue avec un beau ruban et une grosse boucle rouge.

2 Remplis le tableau.

IMPARFAIT			
Personnes et nombres	**Verbes à l'infinitif**	**Pronoms de conjugaison**	**Verbes conjugués**
Ex. : 1re pers. s.	être	j'	étais
a) 3e pers. pl.	aller	ils / elles	allaient
b) 1re pers. pl.	être	nous	étions
c) 2e pers. s.	avoir	tu	avais
d) 2e pers. pl.	avoir	vous	aviez
e) 3e pers. s.	être	il / elle	était
f) 1re pers. s.	aller	j'	allais

3 a) Souligne le sujet dans chaque phrase, puis écris sa personne et son nombre.

b) Écris à l'imparfait les verbes entre parenthèses.

3e pers. pl.
Ex. : Ils allaient (aller) à petits pas sur la rivière gelée.

2e pers. pl.
1. Vous étiez (être) contents de participer à cette activité de pêche.

1re pers. s.
2. J' allais (aller) à la pêche sur la glace pour la première fois.

1re pers. pl.
3. Pour pêcher, nous avions (avoir) un bout de bâton, un fil et un hameçon.

1re pers. s.
4. J' étais (être) impatient de voir un poisson mordre à l'hameçon.

2e pers. s.
5. Tu avais (avoir) sûrement un gros poisson au bout de ta ligne.

3e pers. s.
6. Elle était (être) certaine de remporter le prix de la plus grosse prise.

► Révision, p. 127, no 9.

Lecture EXPRESS

- Je lis un extrait de roman.
- J'utilise la stratégie *Comprendre les signes de ponctuation.*

Lis le texte pour découvrir comment Léonne aide le père Noël.

Petite Mère Noël

Le père Noël a laissé tomber un cadeau de son traîneau. Léonne, sa fille, décide de le lui apporter.

Léonne met son capuchon rouge et prépare tout, soigneusement, comme elle a toujours vu son père le faire.

Elle prend la carte du ciel et celle de la Terre dont elle a tellement rêvé. Puis, le cadeau de Loïc sous le bras, elle court réveiller le petit renne qui dormait tristement dans son enclos.

— Allez, debout ! lui dit-elle. Toi et moi, on doit aider nos papas.

ravi
Très heureux.

Le petit renne est **ravi**. Bientôt ils glissent dans le ciel comme le vent. Léonne suit bien la carte du ciel pour ne pas se perdre. [...]

Le petit renne file plus vite que le vent. Léonne veut encore crier : « Papa ! » Mais la force du vent est telle que seul un murmure sort de sa bouche :

À quoi sert le point d'exclamation en bleu ?

— Papa !

Et pourtant, son papa l'entend, et sa maman également.

— Léonne ! crient-ils tous les deux en même temps.

C'est ainsi qu'ils se retrouvent. Ils s'embrassent. Soudain le père Noël réalise :

— Mais qu'est-ce que tu fais là ?

— Ben, tu vois, je suis venue vous aider...

Alors le père Noël décide :

— Ma petite fille, c'est toi qui vas livrer ce dernier cadeau. Tu l'as bien mérité !

1 Qui est le personnage principal de l'histoire que tu viens de lire? Entoure la bonne réponse.

① Le père Noël. ② (Léonne.) ③ Le petit renne.

2 Pourquoi Léonne veut-elle rejoindre ses parents? Trace un X devant la bonne réponse.

① [ ] Elle veut leur dire qu'un des rennes est malade.

② [X] Elle veut remettre à son père un cadeau qu'il a oublié.

③ [ ] Elle se sent seule sans ses parents.

3 Voici quatre phrases qui décrivent les actions de Léonne pour rejoindre ses parents. Écris les mots ci-dessous aux bons endroits pour les compléter.

glisse • réveille • prépare • crie

a) Elle s'habille et prépare tout.

b) Elle réveille le petit renne.

c) Elle glisse dans le ciel avec le petit renne.

d) Elle crie dans le vent.

4 Qui prononce le mot ci-dessous dans le texte?

Léonne!

Les parents de Léonne.

5 Pour qui est le cadeau oublié par le père Noël? Écris les lettres du prénom de l'enfant.

L o ï c

6 Quel objet Léonne utilise-t-elle pour ne pas se perdre?

Une carte du ciel.

L'accord du verbe avec le sujet

L'accord du verbe avec le pronom sujet

Le **pronom** sujet donne sa personne (1re, 2e ou 3e) et son nombre (singulier ou pluriel) au verbe.

Pron. V.

Ex. : ***Nous*** *fabriqu**ons** des jouets à l'atelier.*
(1re pers. pl.) (1re pers. pl.)

1 a) Souligne les pronoms sujets.

b) Écris la terminaison des verbes au présent.

Ex. : Il note___ son horaire de la journée.

24 décembre

18h Mère Noël prépare une soupe au poulet.

Nous savourons___ ce plat avant mon décollage.

19h J'enfile___ mon habit, mes bottes et ma tuque.

J'ajuste___ ma ceinture à ma taille.

20h Les lutins vérifient la liste des cadeaux.

Ils comptent___ les cadeaux.

Ils portent___ ensuite les paquets jusqu'à mon nouvel avion.

20h30 Les lutins mettent de l'essence dans l'avion.

Nous vérifions___ le fonctionnement de l'appareil.

21h Mère Noël me conseille d'être prudent avec ce nouvel engin.

Elle embrasse___ ma joue avant mon départ du pôle Nord.

23h J'approche___ des premières maisons.

24h Je laisse___ tomber les cadeaux dans les cheminées.

2 Écris au présent chaque verbe entre parenthèses. Écris la personne et le nombre du pronom sujet pour t'aider.

Panique à l'atelier !

Lulu et Lola travaillent ensemble à l'atelier du père Noël.

3e pers. pl.
Ils aiment (aimer) bien se jouer des tours.

2e pers. s.
— Qu'est-ce que tu fais (faire), Lulu ? demande Lola.

1re pers. s.
— Je démarre (démarrer) l'ordinateur pour vérifier la liste de jouets, répond Lulu.

— Bonne idée ! dit-elle avec un petit sourire.

3e pers. s.
— Bizarre, il ne fonctionne (fonctionner) plus, s'étonne Lulu.

— Ah bon, dit Lola.

2e pers. s.
— Tu ne réagis (réagir) pas plus que ça ! s'affole Lulu.

1re pers. pl.
Nous avons (avoir) un gros problème. C'est bientôt l'heure de charger les cadeaux sur le traîneau du père Noël...

2e pers. s.
— Calme-toi ! Tu paniques (paniquer) pour rien, ajoute Lola.

1re pers. s.
— Tu ne comprends pas. Je suis (être) responsable de cette liste. Aide-moi ! lui dit Lulu.

En riant, Lola branche simplement l'ordinateur dans la prise de courant.

L'accord du verbe avec le groupe du nom sujet ⊕

Le **noyau** du groupe du nom sujet donne sa personne (3e) et son nombre (singulier ou pluriel) au verbe.

GN → V.

Ex. : *Les **rennes*** *attend**ent** le signal de départ.*
(3e pers. pl.) (3e pers. pl.)

3 a) Écris la personne et le nombre du groupe du nom sujet dont le noyau est en gras. Écris ensuite au présent le verbe entre parenthèses.

b) Regarde l'image. Trace un X dans la bonne case.

		Vrai	Faux
Ex. : Le **père** Noël (3e pers. s.)	porte (porter) un habit et une tuque rouges.	X	
1. Son **sac** (3e pers. s.)	est (être) rempli de jouets.	X	
2. Plusieurs **lutins** (3e pers. pl.)	accompagnent (accompagner) le père Noël.		X
3. Quatre **rennes** (3e pers. pl.)	tirent (tirer) le traîneau.		X
4. Le **traîneau** (3e pers. s.)	vole (voler) au-dessus des maisons.	X	
5. Un **renne** (3e pers. s.)	a (avoir) un gros nez rouge.	X	
6. Les **cadeaux** (3e pers. pl.)	tombent (tomber) dans les cheminées.		X
7. La **lune** (3e pers. s.)	est (être) pleine et brille dans le ciel.	X	

4 a) Remplace chaque sujet en gras par un pronom.

b) Écris la terminaison des verbes au présent. Ces verbes se conjuguent comme le verbe *aimer*.

Les vacances au chalet

Ex. : **Kim** (Elle) boude_____ sur le sofa. Elle n'aime_____ pas venir au chalet.

Il n'y a pas d'électricité. **Son ordinateur** (Il) ne fonctionne_____ pas.

— Je trouve_____ le temps long ! Il n'y a rien à faire ici, dit-elle.

— Nous sortons_____ marcher. Est-ce que tu désires_____ venir avec nous ? lui demandent ses parents. **Kim** (Elle) décide_____ de les accompagner, car elle ne veut pas rester seule.

Près de leur chalet, **des enfants** (ils) glissent_____ en traîneau.

La fillette (Elle) se dépêche_____ de les rejoindre.

Quelques heures plus tard, **Kim** (elle) rentre_____ au chalet.

Elle retrouve_____ ses parents dans la cuisine.

Son père (Il) enfile_____ une saucisse sur un bâton pour la faire griller sur le feu. **Sa mère** (Elle) prépare_____ du chocolat chaud.

— Le chalet, c'est amusant finalement ! dit la jeune fille.

Écriture EXPRESS

Tu souhaites inviter chez toi un ou une camarade durant les vacances.

- Écris-lui un courriel d'invitation.
- Vérifie l'accord du verbe dans chacune de tes phrases. Laisse des traces de ta démarche.

► Révision, p. 127, nº 10.

Vocabulaire

Les homophones 

Les homophones sont des mots qui se prononcent de la même façon, mais qui s'écrivent différemment et ont un sens différent.

Les homophones *a* / *à*

	Je le reconnais	Je vérifie
a	**Verbe *avoir*** au présent (3e pers. s.).	Je peux le remplacer par *avait*. Ex. : *L'oiseau* ***a*** *un chapeau rouge.* *L'oiseau* ***avait*** *un chapeau rouge.*
à	**Mot invariable** qui exprime souvent le lieu ou le temps.	Je ne peux pas le remplacer par *avait*. Ex. : *L'oiseau se rend* ***à*** *l'atelier.* ⊘ *L'oiseau se rend ~~**avait**~~ l'atelier.*

1 Entoure le verbe *avoir* dans chaque phrase. Vérifie tes réponses en remplaçant les mots entourés par *avait*.

Ex. : Cet oiseau (a) [avait] un joli chapeau rouge à pompon blanc.

a) Il (a) [avait] de belles plumes bleues. Il aime chanter à ma fenêtre.

b) Il revient à la fin de l'hiver quand il n'(a) [avait] plus rien à manger.

c) Il reste longtemps sur la mangeoire à oiseaux, car il (a) [avait] bon appétit.

2 Écris ***à*** ou ***a*** pour compléter les phrases.

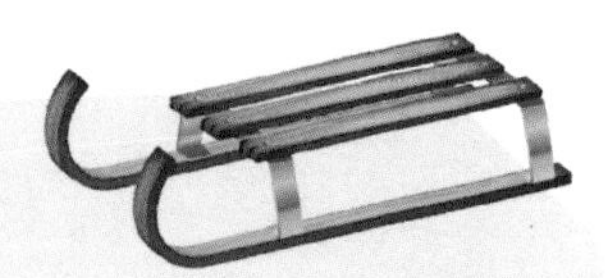

Les joies de l'hiver

Élodie __a__ un nouveau traîneau. Elle __a__ envie d'emmener ses amis glisser. Moussa __a__ hâte d'aller __à__ la grosse montagne. Élodie et ses amis tournent __à__ droite, puis __à__ gauche. Moussa __a__ toute une surprise. La grosse montagne est derrière sa maison !

Les homophones *son / sont*

	Je le reconnais	Je vérifie
son	**Déterminant** qui introduit un nom singulier.	Je peux le remplacer par *un* ou *une*. Ex.: ***Son** ami est parti.* ***Un** ami est parti.*
sont	**Verbe *être*** au présent (3e pers. pl.).	Je peux le remplacer par *étaient*. Ex.: *Les trois rennes **sont** fatigués.* *Les trois rennes **étaient** fatigués.*

3 Colorie le mot qui peut remplacer le mot en gras dans chaque phrase.

Ex.: Les rennes **sont** les assistants du père Noël.	un	étaient
a) Ils **sont** de retour au pôle Nord.	un	étaient
b) Le père Noël ouvre **son** enclos pour les faire entrer.	un	étaient
c) Le plus petit renne a perdu **son** chapeau rouge.	un	étaient
d) Les autres rennes **sont** déjà endormis.	un	étaient
e) Le père Noël veille sur **son** troupeau.	un	étaient

4 Écris *son* ou *sont* pour compléter les phrases.

Vive les vacances!

Après la grande tournée, les rennes __sont__ en vacances.
Rudolphe prend __son__ masque de plongée et explore l'océan.
Comète étend __son__ hamac et savoure __son__ jus de fruits.
Éclair fait une sieste sous __son__ parasol. Tonnerre attrape sa planche, prend __son__ courage à deux mains et attaque les grosses vagues.
Les rennes __sont__ très heureux!

Les homophones *on / ont*

	Je le reconnais	Je vérifie
on	**Pronom** généralement placé devant un verbe.	Je peux le remplacer par *tout le monde.* Ex.: ***On*** *aime l'hiver.* ***Tout le monde*** *aime l'hiver.*
ont	**Verbe *avoir*** (3e pers. pl.).	Je peux le remplacer par *avaient.* Ex.: *Ils* ***ont*** *hâte aux vacances d'hiver.* *Ils* ***avaient*** *hâte aux vacances d'hiver.*

5 Souligne le verbe *avoir* dans les phrases ci-dessous. Vérifie tes réponses en remplaçant les mots soulignés par *avaient.*

Ex.: On dit que les lutins du pôle Nord ont (avaient) souvent froid.

a) Pour habiter au pôle Nord, on doit bien se couvrir.

b) Les lutins ont (avaient) d'épaisses chaussettes rouges.

c) Leurs pantoufles ont (avaient) une épaisse fourrure blanche.

d) On entend toujours les lutins quand ils marchent, car leurs pantoufles ont (avaient) de petits grelots.

6 Écris *on* ou *ont* pour compléter les phrases.

Règles à suivre à l'atelier du père Noël

- Les enfants ont le droit de courir. On ne peut pas les arrêter.
- Ils ont aussi le droit de faire du bruit. On ne peut pas leur demander de garder le silence.
- Les enfants ont le droit d'utiliser les jouets. On ne peut pas les empêcher de s'amuser.
- Les adultes ont la permission de regarder seulement.
- En tout temps, à l'atelier, on doit garder le sourire.

7 Entoure les mots entre parenthèses qui sont bien orthographiés dans chaque phrase du texte.

Cher cousin Glaçon,

Il y (a / à) longtemps que je voulais t'écrire, mais je n'ai pas eu une seule minute (a / à) moi. Les enfants de mon quartier (son / sont) très amusants. Ils passent me voir tous les jours. Quand il fait très froid, ils (on / ont) de belles joues rouges. Le petit Philippe m'(a / à) même prêté (son / sont) foulard. (On / Ont) a eu beaucoup de plaisir! J'espère avoir de tes nouvelles bientôt!

Ton cousin, le bonhomme de neige Flocon

8 Écris trois phrases. Chaque phrase doit contenir un nom et un homophone parmi les suivants.

Noms	Homophones
patin	a / à
enfants	on / ont
hiver	son / sont

Ex. : Pour jouer dehors, les enfants ont des vêtements chauds.

Exemples de réponses :

1. Nicolas fait du patin avec son frère.

2. Les enfants ont hâte de jouer dans la neige.

3. L'hiver, mon chien a froid aux pattes.

► Révision, p. 128, nos 11, 12 et 13.

Rébus

Trouve le nom illustré par les images.

Un cadeau.

Un air de famille

Entoure les mots de même famille que le mot *chausson*.

a. bas

b. chaussure

c. chaussette

Une image vaut mille mots

Que signifie l'expression *être sauvé par la cloche* dans la phrase ci-dessous? Entoure la bonne réponse.

«Maman a voulu entrer dans ma chambre pendant que je fabriquais son cadeau. Heureusement, papa l'a appelée. **J'ai été sauvée par la cloche!**»

a. Être sauvé au dernier moment.

b. Être très content de voir une personne.

c. Être prêt à partir.

DiCO!

Le mot *renne* est-il féminin ou masculin?

Masculin.

Sans queue ni tête

Un des personnages n'emploie pas correctement le mot en gras. Trace un X sur ce personnage.

À Noël, j'ai reçu un animal de compagnie, c'est un petit **serpentin**.

J'ai décoré l'arbre de Noël avec de jolis **serpentins**.

ANAGRAMME

Change l'ordre des lettres du mot *joute* pour former un autre mot.

Indice: Les enfants souhaitent en recevoir un en cadeau.

joute

j o u e t

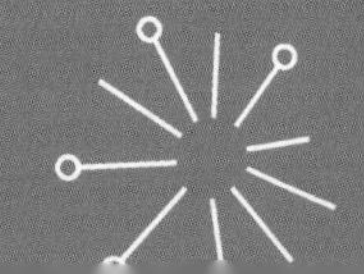

Révision du dossier 2

Grammaire • Conjugaison • Vocabulaire

- Le pronom, **p. 77**
- Le présent de l'indicatif des verbes *avoir*, *être* et *aller*, **p. 80**
- Les règles de position, **p. 84**
- Les familles de mots, **p. 86**

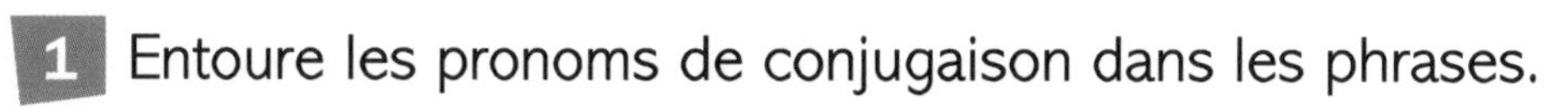

1 Entoure les pronoms de conjugaison dans les phrases.

a) (Nous) jouons aux pirates dans le jardin.

b) (Je) porte un chandail rayé et un bandeau sur la tête.

c) Avec tes amis, (tu) imagines partir à l'aventure.

d) Durant tout l'après-midi, (vous) inventez des histoires.

2 Écris le bon pronom devant chaque verbe au présent.

a) j' ai	b) tu vas	c) il / elle est
d) vous êtes	e) je vais	f) je suis
g) ils / elles ont	h) tu as	i) ils / elles vont
j) tu es	k) il / elle va	l) nous avons

3 Écris les lettres manquantes pour compléter les mots.

c*, *ç*, *s* ou *ss	***g*, *ge* ou *gu***	***m* ou *n***
a) ba gu ette	b) bra c elet	c) cai ss e
d) co m pagnon	e) cour s e	f) diama n t
g) fa ç on	h) gla c e	i) plon ge oir
j) to m ber	k) vite ss e	l) voya g e

4 Replace les lettres dans l'ordre pour former un mot de la même famille.

Ex. : sac	s a c c h o e	sacoche
a) mystérieux	m s t è r e y	mystère
b) ancrer	a r c n e	ancre
c) vite	e v i s s t e	vitesse

- La phrase, **p. 94**
- L'imparfait de l'indicatif des verbes comme *aimer* et *finir*, **p. 96**

5 Écris trois phrases en utilisant les groupes de mots ci-dessous.

Le film	~~joue dans ce film~~	ce soir
On	semble délicieux	au cinéma
Le maïs éclaté	est à 19 h	
~~Un bon acteur~~	présente trois films	

Ex. : Un bon acteur joue dans ce film.

Exemples de réponses :

1. On présente trois films au cinéma.
2. Le film est à 19 h ce soir.
3. Le maïs éclaté semble délicieux.

6 Souligne les verbes à l'imparfait.

a) je <u>regardais</u> b) nous racontons c) ils / elles <u>dansaient</u>

d) vous <u>rougissiez</u> e) il / elle marche f) tu tomberais

g) tu <u>tombais</u> h) nous adorerons i) je <u>donnais</u>

7 Écris les verbes à l'imparfait aux bons endroits pour compléter les phrases.

observiez • regardais • restait • utilisions • travaillaient • ~~patientais~~

Ex. : Tu patientais depuis des heures.

a) Elle restait assise sans bouger.

b) Nous utilisions un pinceau pour refaire son maquillage.

c) Je regardais travailler la maquilleuse.

d) Vous observiez le résultat dans le miroir.

e) Ils travaillaient ensemble sur le plateau de tournage.

- Le sujet, **p. 109**
- L'imparfait de l'indicatif des verbes *avoir*, *être* et *aller*, **p. 112**
- L'accord du verbe avec le sujet, **p. 116**

8 a) Souligne le sujet dans chaque phrase.

b) Vérifie tes réponses en encadrant le sujet par *c'est… qui* ou *ce sont… qui*.

Ex. : L'hiver, (c'est) <u>nous</u> (qui) installons des mangeoires dans les arbres.

1. (C'est) <u>La nourriture</u> (qui) est plus rare durant l'hiver.
2. Dès la première neige, (c'est) <u>Amélia</u> (qui) nourrit les oiseaux.
3. (Ce sont) <u>Les mésanges</u> (qui) picorent les graines de tournesol.
4. (C'est) <u>Un oiseau</u> (qui) se pose sur ma main immobile.

9 Écris les verbes à l'imparfait.

Verbe *avoir*		Verbe *être*		Verbe *aller*	
Ex. : j'	avais	il / elle	était	tu	allais
tu	avais	nous	étions	il / elle	allait
nous	avions	vous	étiez	ils / elles	allaient

10 a) Écris la personne (1re, 2e ou 3e) et le nombre (s. ou pl.) de chaque sujet en bleu.

b) Écris au présent chaque verbe entre parenthèses.

Ex. : Il (3e pers. s.) ___est___ (être) au lit à cause d'un vilain rhume.

1. Nous (1re pers. pl.) ___cherchons___ (chercher) une personne pour remplacer le père Noël.
2. Je (1re pers. s.) ___suis___ (être) content de lui venir en aide.
3. Galoche (3e pers. s.) ___enfile___ (enfiler) l'habit du père Noël.
4. Ils (3e pers. pl.) ___tirent___ (tirer) le traîneau pour aider le lutin.

- Les homophones *a* / *à*, **p. 120**
- Les homophones *son* / *sont*, **p. 121**
- Les homophones *on* / *ont*, **p. 122**

11 Souligne les ***a*** qui devraient s'écrire ***à***.
Ajoute les accents qui manquent.

Le grand bal

Ce soir, la princesse Blanche se rend à un grand bal au palais de glace. Pour la première fois, elle a la chance d'être invitée par le prince Frisson.

Elle porte des bijoux faits de délicats glaçons à son cou et à ses oreilles. Elle a de jolis souliers blancs.

Le bal est à 20 h. Le palais est à quelques pas de chez elle. Elle se dépêche, car elle a horreur d'être en retard.

12 Entoure les mots entre parenthèses qui sont bien orthographiés.

a) L'ours Baluchon s'ennuie sur (son / sont) glacier.

b) Les voyageurs (son / sont) rares dans la région.

c) Bubulle, un poisson, est (son / sont) seul ami.

d) Baluchon décide d'inviter (son / sont) cousin à visiter (son / sont) coin de pays.

e) Baluchon et Bubulle (son / sont) impatients de le voir.

13 a) Écris *on* ou *ont* pour compléter chaque phrase.

b) Colorie les mots qui peuvent remplacer le mot que tu as écrit.

Ex. : On loue des raquettes à neige au centre récréatif.	Tout le monde	Avaient
1. Les gens ont la possibilité de suivre plusieurs sentiers.	tout le monde	avaient
2. Les enfants ont des sentiers réservés.	tout le monde	avaient
3. On fait le parcours de son choix.	Tout le monde	Avaient
4. On peut profiter de l'hiver.	Tout le monde	Avaient